NUEVAS GUÍAS PERROS DE RAZA

Schnauzer M ... a

Muriel P. Lee

Dibujos por: Yolyanko el Habanero

HISPANO EUROPEA

Título de la edición original:
Miniature Schnauzer

Depósito Legal: B. 27587-2009

ISBN: 978-84-255-1878-2

IMPRESO EN ESPAÑA — PRINTED IN SPAIN

LIMPERGRAF, S. L. - Mogoda, 29-31 (Pol. Ind. Can Salvatella) - 08210 Barberà del Vallès

Índice

El Schnauzer Miniatura es un perro activo y pequeño (no llega a la rodilla) que goza de gran popularidad en todo el mundo.

En Estados Unidos se lo clasifica dentro del Grupo Terrier; en el Reino Unido y el resto de Europa, en el Grupo de los Perros de Utilidad; y en los países cuyas organizaciones caninas están bajo la égida de la Federación Cinológica Internacional (FCI), se lo clasifica en la Sección 1 del Grupo 2, con los perros tipo Pinscher y Schnauzer.

Ya sea que se lo considere un Terrier o un perro de utilidad, el Schnauzer Miniatura fue concebido como perro terrero o de madriguera, cuya función era eliminar conejos, ratones y ratas de los graneros y cobertizos de las fincas y las granjas. En la actualidad, todavía conserva esos instintos, no importa si vive en el campo o en la ciudad. Si lo lleva de paseo, lo verá interesarse de inmediato por alguna ardilla. Si lo suelta en un pasti-

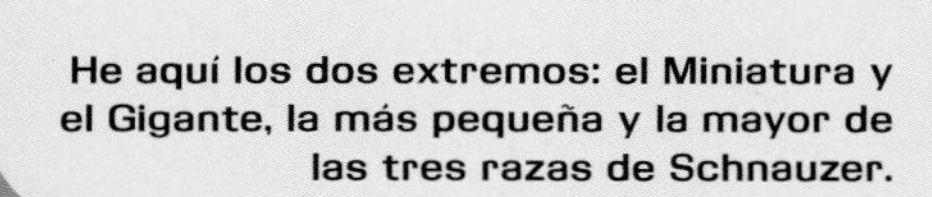

He aquí los dos extremos: el Miniatura y el Gigante, la más pequeña y la mayor de las tres razas de Schnauzer.

zal, verá que pronto andará tras un conejo.

Este inteligente y elegante perro no solo resulta una gran mascota, sino que también es un trabajador o competidor muy bien dispuesto para los concursos, como los de Obediencia y *Agility*. Se adapta sin problemas a la vida familiar, tanto si hay niños en casa como si no los hay, y se sentirá tan a gusto en un apartamento urbano o en la periferia como en el campo. Es listo y animoso, le gusta complacer a su familia y tiene una actitud feliz ante la vida. El Schnauzer Miniatura es menos agresivo y mucho más fácil de adiestrar que las otras dos tozudas razas hermanas.

El Schnauzer Miniatura es originario de Alemania; sus dos «primos» mayores son el Schnauzer Gigante y el Schnauzer Estándar. Este último, el original de los tres, remonta su historia hasta los siglos XV y XVI, cuando era utilizado en las granjas como eficaz trabajador. Hacía las funciones de perro ganadero, guardián y, en ocasiones, de exterminador de ratas. Con el paso del tiempo, los más pequeños entre los Es-

Schnauzer Miniatura de color negro puro y bellamente acicalado, con sus orejas naturales, como es característico en Europa.

Trixi es una bonita Schnauzer sal y pimienta, de Alemania, país de origen de la raza.

tándar fueron cruzados con el Affenpinscher, lo que redujo la talla de la raza hasta llegar a la del Miniatura.

Ya a principios del siglo XX los Schnauzers Miniatura eran registrados como perros de pura raza. Al principio de la década de 1920, el muy famoso criadero Marienhof, que fomentara la raza en Estados Unidos, importó algunos ejemplares de Alemania. Este criadero estuvo activo durante cincuenta años, a lo largo de los cuales produjo más de cien campeones y ganadores de primera línea. No obstante, las habilidades «terreras» del Schnauzer Miniatura no han mermado en absoluto por el hecho de haber estado conquistando incontables lauros en exposiciones, por décadas; por lo tanto, sus instintos de cazador de conejos o ardillas se han mantenido intactos a través de generaciones de crianza.

A mediados de la década de 1940, Dorothy Williams, del criadero Dorem, se convirtió en una persona muy activa dentro de la raza. De su criadero salieron cuarenta campeones, incluyendo a *Ch. Dorem Display*, que produjo un impacto excepcional; hacia finales de los años noventa, la mayoría de los cinco mil campeones estadounidenses tenían a *Dorem* en sus ancestros. Este perro fue un ganador de primera línea y, como padre, produjo más de cuarenta campeones. No es frecuente encontrar en una raza canina un ejemplar que llegue a influir tanto en el tipo.

Pueden mencionarse otros criadores estadounidenses; de hecho, es posible que el lector encuentre algunos de estos nombres en el pedigrí de su perro. *Landis* y *Penny Hirsten*, del criadero Penlan, produjeron más de 150 campeones, y su perro *Ch. Penlan Peter Gunn* fue padre de más de setenta campeones. El progenitor de este, *Ch. Penlan Checkmate*, engendró 34 campeones. En la actualidad, el señor Hirsten es un juez de Terriers altamente apreciado (en Estados Unidos, los Schnauzers son considerados Terriers). Joan Huber, del criadero Blythewood, ha criado más de doscientos campeones en casi cinco décadas de trabajo. *Ch. Blythewood Shooting Sparks* ganó muchas veces el

Comparación de tamaño entre las tres razas de Schnauzer:

Miniatura **Estándar** **Gigante**

premio de Mejor de Exposición, y produjo 53 campeones. La señora Huber fue una figura bien conocida en las exposiciones caninas durante muchos años, y continúa criando perros competitivos.

El Schnauzer Miniatura es un perro creado para trabajar. Es inteligente y le gusta complacer a su amo. Podrá ser un «holgazán de sofá», pero su historia muestra que es fuerte y sabe pensar. Como fue diseñado originalmente para el trabajo, tiene una mente preparada para entender problemas y buscar soluciones. El Miniatura es feliz cumpliendo su jornada laboral, a diferencia de otras razas que fueron concebidas como animales de compañía. No se deje engañar por su tamaño porque, cuando es necesario, puede hacer frente a lo que sea sin darse por vencido.

Tener un perro inteligente, rápido en el aprendizaje, de firme disposición y gusto por el trabajo, significa que su mascota es muy adiestrable y está deseosa de complacerle. En los cursos de Obediencia y *Agility* que se ofrecen en cada país encontrará muchos Schnauzer Miniatura trabajando con sus amos. Además de aprender los grados básicos, verá cómo muchos de ellos ganan títulos en los más altos niveles de exigencia y dificultad cuando compiten en esas disciplinas.

El Schnauzer Miniatura podrá tener una excepcional habilidad para el trabajo, pero no por ello ha dejado de destacarse en las exposiciones caninas. Aunque su capa requiere, en estos casos, mucho acicalado, un Schnauzer Miniatura de calidad, con su pelaje bien arreglado, llegará casi con seguridad al círculo de ganadores.

Si usted busca un perro para Obediencia, para exposiciones de belleza o simplemente para sumarlo al círculo familiar, difí-

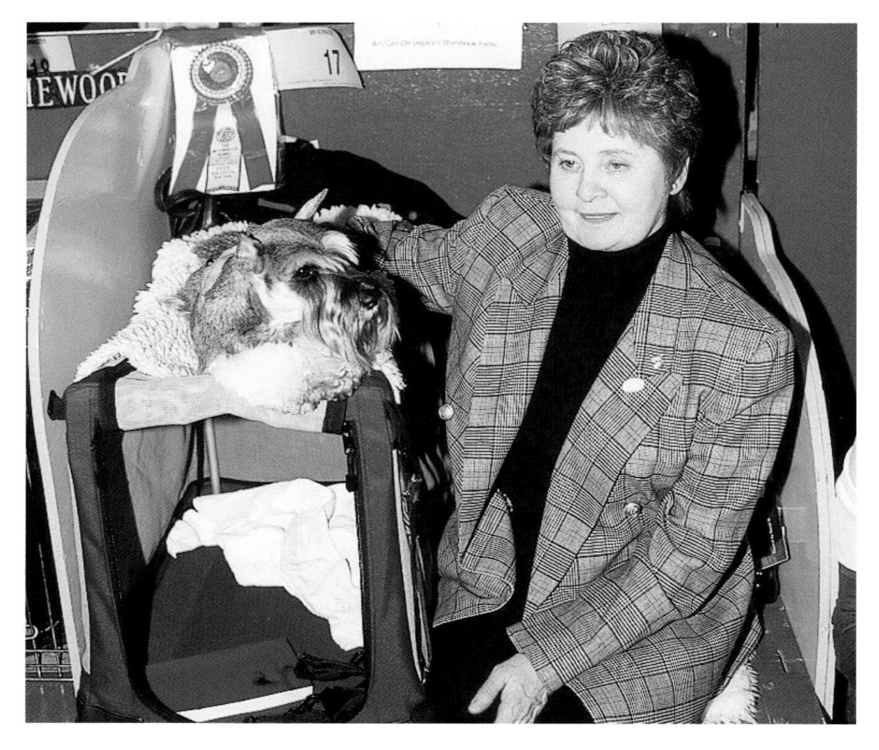

Este Schnauzer Miniatura se relaja entre bambalinas, junto a su presentadora, durante la celebración de una reciente exposición del Westminster Kennel Club. La raza tiene el mayor número de registros en el AKC porque, además de ser la amada mascota de mucha gente, es un popular perro de exposición.

cilmente encontrará otro candidato mejor que el Schnauzer Miniatura. En Estados Unidos, de un total de 150 razas caninas, que son las que reconoce el American Kennel Club (AKC, la organización canina nacional de Estados Unidos), está siempre entre las quince más populares. En ese país se registran cada año más de veinte mil ejemplares. En el Reino Unido y en Europa es también un perro popular. No caben dudas de que hay que tomarlo en cuenta a la hora de buscar una mascota doméstica.

Su tamaño de perro faldero, su gran personalidad y habilidades, hacen del Schnauzer Miniatura una de las razas preferidas.

CONOCER AL SCHNAUZER MINIATURA

Resumen

- El Schnauzer Miniatura es oriundo de Alemania, y el de menor tamaño entre las tres razas de Schnauzer.
- El Schnauzer Miniatura fue criado para cazar bajo tierra y librar de pequeñas plagas a las granjas, a la manera de los Terriers; por eso el AKC estadounidense lo clasifica en el Grupo Terrier.
- El Schnauzer Miniatura es un perro atlético, inteligente, fuerte, y popular en todo el mundo, debido a la conveniencia de su talla, a su personalidad chispeante y numerosas habilidades.
- El número de ejemplares que registran el AKC, el English Kennel Club y la FCI supera al de muchas otras razas caninas.

Cada raza canina dispone de una norma de conformación o estándar oficial escrito donde se describe detalladamente cómo debe lucir, actuar y moverse.

Aunque el estándar del AKC puede tener diferencias ligeras con los estándares reconocidos en otros países, lo cierto es que también comparten grandes similitudes porque todos se proponen describir, en esencia, el mismo animal.

El estándar FCI describe al Schnauzer Miniatura como un perro «pequeño, vigoroso, más compacto que delgado, con pelo áspero, elegante...»; el estadounidense lo caracteriza como un «perro activo y robusto, con tipo de Terrier, similar, en apariencia general y disposición activa y alerta, a su primo de mayor talla, el Schnauzer Estándar». Para la FCI, machos y hembras deben medir entre 30 y 35 cm a la cruz. En Estados Unidos, el estándar señala para los machos una altura no superior a los 35

Aunque pequeño y compacto, el Schnauzer Miniatura es un perro robusto y de constitución sólida.

centímetros y, para las hembras, no superior a los 30. El estándar FCI propone un peso para machos y hembras que va desde los 4,5 hasta los 7 kg, en tanto que el estándar AKC no define peso; aun así, una hembra adulta de 32 cm a la cruz pesará unos 6,3 kg, mientras que el macho será algo más pesado.

Con relación al color, el Schnauzer Miniatura puede ser sal y pimienta, en todos sus matices (combinación de pelos negros y blancos, en franjas), negro y plata, o completamente negro. De los tres colores, el sal y pimienta es el más popular y solo hace muy poco se han visto campeones de color negro y plata, o negros. En Estados Unidos se permite el blanco únicamente cuando aparece en forma de una pequeña mancha en el pecho de ejemplares negros. Los parches blancos o de cualquier otro color en otras zonas del cuerpo son inaceptables. El blanco sólido no es un color reconocido en Estados Unidos ni en el Reino Unido, pero sí es aceptado en Europa.

En Estados Unidos las orejas pueden cortarse o no. En su for-

Típico Schnauzer Miniatura con las orejas cortadas. Los distintivos flecos faciales, junto con la barba y las cejas, dan a la raza una expresión difícil de olvidar.

La familiar coloración sal y pimienta puede variar en matices de un perro a otro.

ma natural deben estar dobladas, pegadas a la cabeza. Casi todos los Miniaturas de exposición de ese país las tienen cortadas, porque es muy difícil para un ejemplar de esta raza completar su campeonato con las orejas íntegras.

El estándar del AKC concluye diciendo: «El típico Schnauzer Miniatura se mantiene alerta y animoso pero obediente a las órdenes. Es amistoso, inteligente y dispuesto a complacer. No debe ser agresivo ni tímido, en exceso». Del otro lado del Atlántico, el estándar británico lo describe: «De constitución robusta, vigoroso, nervudo, casi cuadrado (el largo del cuerpo es igual a la altura a la cruz). De expresión aguda y actitud alerta». Es un perro «bien equilibrado, listo, elegante y adaptable». Por supuesto, el Miniatura es famoso en todo el mundo por su confiabilidad e inteligencia.

El estándar de la Federación Cinológica Internacional, radicada en Europa, es el de Alemania, país de origen de la raza. Las diferencias más importantes entre los estándares del AKC y de la FCI incluyen la ya mencionada aceptación del color blanco puro, y las orejas en estado natural. El estándar FCI no menciona el corte y describe las orejas como «caídas». Tampoco en el Reino Unido se permite recortarlas. Otra diferencia (como ya se dijo antes) es que la FCI lo clasifica en el Grupo 2, en la subsección de los perros tipo «Pinscher y Schnauzer» y, por tanto, no lo considera un Terrier. En el Reino Unido es clasificado dentro del Grupo de Utilidad, comparativamente afín con el Grupo de Perros No Deportivos del AKC, que reúne aquellas razas cuyas funciones originales fueron diversas pero que, en la actualidad, se desempeñan sobre todo como animales de compañía.

Lo importante a considerar ahora es que, al margen de su procedencia y debido a su tamaño –alrededor de 30 cm a la cruz y entre 5,5 y 7 kg de peso–, el Schnauzer Miniatura es un «perro para la ciudad». Por eso es tan popular entre los que viven en apartamentos y áreas urbanas. Dinámico y listo, compacto de talla y conformación, el Miniatura necesita actividad y desafíos. También requiere acicalado. Su fama se debe, con mucho, a ese «extra» que encontramos en su personalidad y a su capacidad de adaptarse a la mayoría de las condiciones de hábitat, gracias a sus dimensiones.

Un joven Schnauzer de Alemania de color blanco puro y orejas en estado natural. Aunque el AKC no admite este color, sí está reconocido en toda Europa, porque es el estándar alemán el que acepta la FCI.

ESTÁNDAR Y DESCRIPCIÓN DE LA RAZA

Resumen

- El estándar es un documento oficialmente aceptado donde se describen las características físicas, el movimiento y el temperamento ideales de una raza canina determinada.
- En Estados Unidos y el Reino Unido, el Schnauzer Miniatura puede ser de tres colores, pero la FCI acepta, además, un cuarto color: el blanco puro.
- El Schnauzer Miniatura es una raza pequeña y compacta, de enorme personalidad y grandes habilidades concentradas en un tamaño conveniente para cualquier condición de hábitat.
- El Schnauzer Miniatura es popular en todo el mundo y se lo clasifica de manera diferente según las asociaciones de que se trate: para el AKC es un Terrier; en el Reino Unido, un perro de Utilidad; mientras que la FCI lo coloca junto a los Pinscher y otros Schnauzers.

Antes de comprar un Schnauzer Miniatura debería considerar su personalidad y características a fin de saber si es el perro indicado para usted.

Responda las siguientes preguntas, y si es capaz de contestar afirmativamente cada una de ellas, entonces el comienzo promete. Aunque tal vez prefiera asistir a una exposición canina que se celebre en la región donde vive. Averigüe la hora en que los Schnauzer Miniatura salen a pista y, después de la valoración de los jueces, hable con algunos criadores y presentadores; aproveche la oportunidad para contemplar a los perros «de cerca».

Las preguntas que debe hacerse usted son las siguientes:

1. ¿Dispone de tiempo para el perro? Porque él necesita cuidados, compañía, adiestramiento y acicalado. Es casi como tener un niño, excepto que el animalito nunca «crece», en el sentido de que siempre necesitará sus cuidados y atención para estar bien.

El Miniatura siempre está pendiente de todo lo que sucede a su alrededor, esté patrullando o simplemente observando por la ventana el regreso de su dueño.

2. ¿Desea un perro pequeño que pese más o menos 7 kg?
3. ¿Tiene un patio cercado? Si no es así, tendrá que estar dispuesto a llevarlo a caminar en diferentes horas del día.
4. ¿Está de acuerdo en cepillar semanalmente a su mascota y someterla a un acicalado completo cada dos o tres meses? ¿Es consciente de que el pelo de esta raza requiere bastante arreglo y que, si usted no es capaz de hacerlo, tendrá que llevar a su mascota a un peluquero profesional?
5. ¿Está dispuesto o se siente capaz de tener un perro algo ruidoso? ¿Lo tolerarán sus vecinos? El Schnauzer Miniatura, como buen guardián, tiende a ser un poco más ladrador que otras razas.

Ahora, analicemos cada pregunta en detalle.

1. Tiempo para el perro no quiere decir que no pueda ir a trabajar. Lo que su mascota necesita es que le dedique tiempo, en el mismo sentido en que se lo dedicaría a un niño. Al Schnauzer Miniatura tendrá que alimentarlo y ejer-

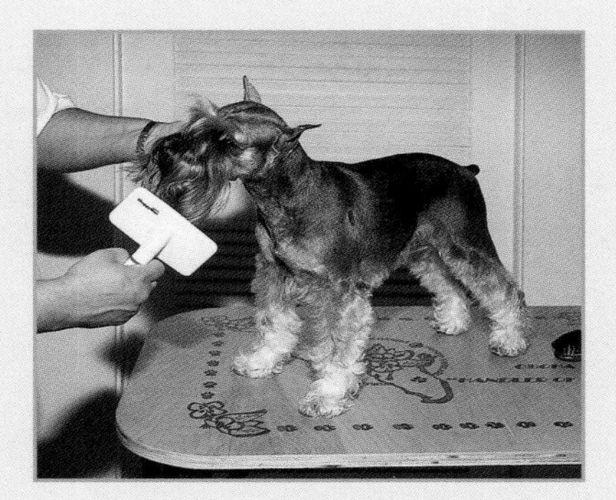

¡No olvide el acicalado! Los pelajes ásperos, como el del Miniatura, requieren atención especial para mantenerse en buenas condiciones y con la textura correcta; los flecos faciales deben estar siempre limpios y peinados.

A los dueños de un Schnauzer Miniatura les encanta su gran talento y temperamento de «perro grande», todo compactado en un perrito fácil de transportar.

citarlo varias veces al día, de acuerdo con una agenda. Él necesitará que lo quieran y lo acaricien. Querrá acompañarle fuera de casa cada vez que sea posible. Disfrutará mucho si comparte con él algún deporte que requiera inteligencia y habilidades atléticas.

Si vive en un apartamento, el perro debe salir por lo menos dos veces al día durante un rato, lo que significa un paseo por la mañana y otro por la tarde. Si dispone de un patio cercado, igual va a necesitar tiempo para correr y jugar. Nunca deje a su Miniatura suelto cuando esté fuera de casa, incluso si vive en una calle muy tranquila y con poco tráfico, porque basta un solo coche o camión para lastimar a su compañero cuadrúpedo.

2. Si está buscando un perro que, por la talla, pueda servirle como faldero, pero otro miembro de su familia está buscando uno que pese 35 kg, deberían ponerse de acuerdo. Cerciórese de que todos los integrantes del núcleo familiar van a estar contentos con uno de menor tamaño. Son muchas las ventajas de los perros pequeños. Pueden tenerse en el regazo. No babean. Es más fácil limpiar las heces del patio ya que, como el propio perro, ¡son pequeñas! Si le place, el perro puede dormir en la cama con usted. Y también ¡hay que trabajar menos en el acicalado! Mientras que las personas de visita pueden sentirse abrumadas por los saltos de bienvenida de un perro grande, tienden a considerar que un perrito saltarín es gracioso y divertido. Eso sin contar que un animal de talla pequeña puede resultar tan buen guardián como uno mayor. Los perros pequeños comen mucho menos que los grandes, de ahí que cueste menos mantenerlos.
3. Si tiene un patio con valla, verá lo fácil que resulta educar al perro para que haga sus necesidades fisiológicas en el lugar adecuado. Puede sacarlo cada vez que sea necesario o a la hora de desahogarse. A pesar de eso, el Schnauzer Miniatura se desenvuelve bien en un apartamento. Una vez

El Miniatura es un perro activo y juguetón, pero puede adaptarse a vivir en cualquier ambiente si sus dueños le proporcionan suficientes oportunidades de ejercitarse y salir al aire libre, en lugares seguros.

pasada la etapa de cachorro, solo necesitará que lo lleve a hacer sus necesidades tres o cuatro veces al día. Recuerde que cuando saque el perro a la calle es imperativo llevar una bolsa de plástico para recoger las heces; luego podrá arrojarlas en la basura.

4. El Schnauzer Miniatura es una raza «de pelo». El manto le crecerá desparramado a menos que se lo cuide de manera apropiada. En caso de no hacerlo, se le enredará y pronto no lucirá como debería. De modo que debe disponer del tiempo y la paciencia para cepillar al perro una vez por semana. Cada dos o tres meses es preciso llevar a su mascota al peluquero para que luzca como un ejemplar de la raza.
5. Como dueño responsable de un perro está en sus manos garantizar, mediante el adiestramiento, que su perro no ladre innecesariamente. El Schnauzer Miniatura puede ser algo ruidoso, pero no es justo con los vecinos dejarlo

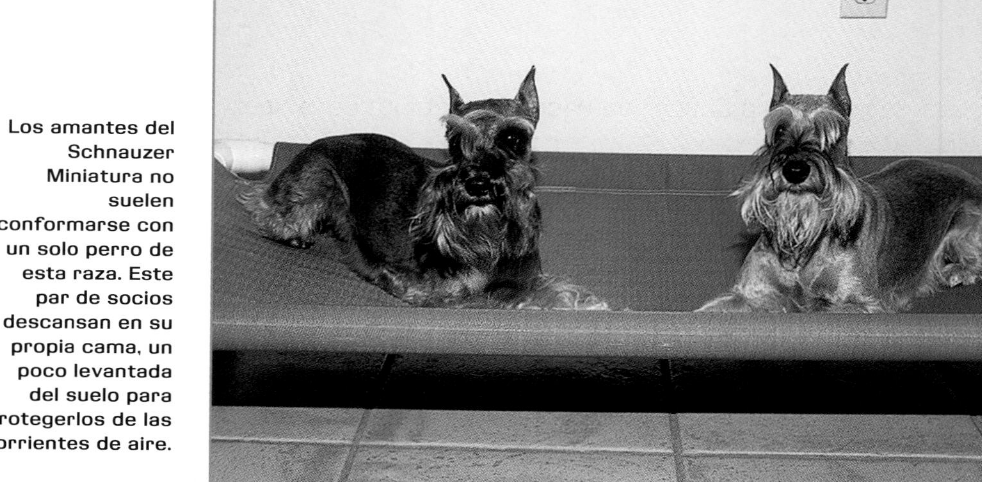

Los amantes del Schnauzer Miniatura no suelen conformarse con un solo perro de esta raza. Este par de socios descansan en su propia cama, un poco levantada del suelo para protegerlos de las corrientes de aire.

en el patio ladrando sin límites. Debido a lo adiestrable que es la raza, este problema, si se presenta, puede ser fácilmente resuelto.

Si ha contestado que «sí» a estas preguntas, va en camino de convertirse en la persona adecuada para tener un ¡Schnauzer Miniatura!

¿ES LA RAZA ADECUADA PARA USTED?

Resumen

- Antes de ponerse a buscar un cachorro debería considerar cuidadosamente la decisión de tener un perro. ¿Está preparado para la experiencia? ¿Es el Schnauzer Miniatura la raza adecuada para usted?
- Sopese los pros y los contras: el Miniatura es un compañero de talla conveniente, brillante y atractivo, pero su pelaje requiere cuidados; además, puede ser un perro ladrador.
- ¿Dispone del tiempo y de los recursos financieros para mantener y brindar a su perro el cuidado adecuado? Este terminará siendo parte de la familia y al necesitar atención diaria puede llegar a afectar a su rutina cotidiana.
- Una vez que se haya decidido, comenzará la parte divertida: ¡escoger al nuevo miembro del círculo familiar!

CAPÍTULO 4

Selección del criador

Al comprar su Schnauzer Miniatura querrá un cachorro sano proveniente de un criador responsable, o sea, aquella persona que se lo ha pensado muy bien antes de reproducir a su perra.

Que toma en cuenta los problemas de salud existentes en la raza, que dispone del tiempo y el espacio necesarios, en su propia casa o en su criadero, para acoger una camada de cachorros. Este criador no usa como semental al perro que vive en la otra calle, porque es lo más fácil o porque desea mostrar a sus hijos el milagro del nacimiento. Un buen criador no es solo alguien que reproduce perros, sino también un entusiasta comprometido con en el mundo canino, un miembro activo del club especializado nacional y regional. Los criadores presentan ellos mismos sus perros en las exposiciones o disponen de asociados o profesionales que lo hacen. Un criador de prestigio

Un par de cachorros como estos: puros, sanos, limpios, robustos, desbordando la personalidad típica del Schnauzer, es a lo que debe aspirar cuando contacte con un criador serio.

sólo cría con perras ganadoras de campeonatos, lo que indica que su calidad es superior y que sus progenies podrán ayudar a la mejora de la raza.

El Club del Schnauzer Miniatura de Estados Unidos (AMSC) describe a los criadores responsables como personas que «conocen la raza que crían, someten a sus perros a análisis médicos para saber si padecen enfermedades hereditarias, y ofrecen información, ayuda y garantía por escrito. Por lo general pertenecen al club especializado nacional o local donde se relacionan con otros criadores expertos. Crían para producir buen temperamento, salud y calidad».

El criador responsable es alguien consagrado a la raza, que elimina mediante la crianza las faltas o los problemas hereditarios, y cuyo mayor interés es mejorarla. Estudia pedigríes y asiste a exposiciones caninas para ver quién están produciendo los mejores sementales. Con el objeto de encontrar el perro adecuado para la monta que se propone, puede volar con su perra al otro extremo del país a fin de cru-

Los buenos criadores procuran que sus cachorros se sociabilicen desde muy pequeños. Si ya han estado en contacto con niños de diferentes edades que los hayan tratado bien, se adaptarán más fácilmente a vivir en cualquier grupo humano.

Las exposiciones caninas son un buen lugar para conocer a gente experimentada en la raza, cuando está fuera del *ring*. La participación de un criador en exposiciones, clubes y otras actividades evidencia su consagración al Schnauzer Miniatura.

zarla con un semental determinado, o puede que la lleve en coche, lo que a veces implica conducir largas distancias. Es posible que produzca solamente una o dos camadas cada año, por eso puede que no tenga un cachorro disponible cuando usted se ponga en contacto con él. Recuerde que está adquiriendo un nuevo integrante para su familia, así que ¡tómese su tiempo! Por lo general, la espera bien vale la pena.

El criador responsable está involucrado con el Schnauzer Miniatura, en el ámbito local o nacional. Localice uno que pertenezca al club especializado nacional y también al de su región, si lo hay. Este es el tipo de criador que encontrará probablemente en la exposición canina de la localidad. Los criadores responsables exponen sus perros. Comparan los resultados de su crianza con los de sus colegas, y disfrutan viendo los buenos ejemplares que otros producen. Esta clase de criadores éticos siempre está esforzándose por eliminar los problemas hereditarios. Trabajan todo el tiempo para mejorar sus perros, tanto en conformación como en estado de salud.

Una vez seleccionado el criador, concierte una visita. Le mostrará su criadero, si lo tiene, o lo invitará a su casa para ver los cachorros. Allí todo estará limpio y habrá un olor agradable. Le enseñará a la madre del cachorro al cual usted está aspirando y verá que está aseada, acicalada y con buen olor. Los cachorros también estarán pulcros y arreglados, por lo que parecen miniaturas de Schnauzer Miniatura. Es posible que el criador solo le muestre uno o dos cachorros, porque no tiene sentido enseñarle aquellos que ya están vendidos o que él piensa retener para sí.

Él también tendrá preguntas que hacerle: ¿Ha tenido perros antes?; ¿cuántos?; ¿alguno ha sido un Schnauzer?; ¿los perros que ha tenido vivieron por largo tiempo?; ¿dispone en casa de un jardín con valla?; ¿cuántos hijos tiene y de qué edades?

No se ofenda por las preguntas. Esta persona ha invertido mucho esfuerzo y dinero en la camada, por eso su principal prioridad es encontrar un hogar adecuado para cada uno de sus cachorros, donde los cuiden bien, los deseen y los quieran.

le haya puesto. También le mostrará los certificados médicos de los padres donde constan los re-

¡Esto se llama dedicación! La criadora de la fotografía ha convertido el patio de su casa en un terreno para entrenar *Agility*, donde se encuentra trabajando con su perro. Si usted desea un animal de competición, localice algún criador que haya tenido éxito en el tipo de actividad que más le interese.

El criador le proporcionará información sobre la salud del perrito y sobre las vacunas que

sultados de las pruebas que se les han hecho para saber si están exentos de enfermedades hereditarias. Al llevarse el cachorro le entregará también una constancia de registro, que testifica que ha sido inscrito en la asociación canina nacional.

Tratándose de una raza tan popular como el Schnauzer Miniatura, puede contactar con los clubes especializados regionales; suele haber muchos en cada país y ellos pueden ayudarle a localizar un cachorro. En el sitio web del club especializado nacional hay un servicio de referencia de criadores que también podrá consultar para saber cuáles son los que viven en su área; allí encontrará los nombres, las direcciones y los números de teléfono. Las asociaciones caninas nacionales de todas las razas están ansiosas por ayudar a las personas que se inician en cualquiera de ellas, educándolas, ayudándolas a la hora de encontrar a los cachorros ade-

Los Miniaturas de la fotografía están pasando un rato junto a su colega, el Schnauzer Gigante de la jaula. Si el criador que localizó cría más de una raza, seguramente deben tener alguna relación entre sí, como en el caso de estos primos Schnauzer.

cuados y consiguiendo que estos últimos vayan a las manos de las familias más convenientes. El sitio web del American Miniature Schnauzer Club (Club del Schnauzer Miniatura de Estados Unidos) es http://amsc.us. En él abunda la información sobre la raza y sobre lo que el club hace para defender mejor sus intereses. Además, el sitio del American Kennel Club (www.akc.org) le ofrece cuantiosa información sobre todas las razas caninas, incluido el Schnauzer Miniatura.

SELECCIÓN DEL CRIADOR

Resumen

- El primer paso para seleccionar un cachorro es encontrar a un criador responsable y ético, auténticamente consagrado a los intereses del Schnauzer Miniatura e involucrado de manera activa en la raza.
- El Club del Schnauzer Miniatura de Estados Unidos es la asociación matriz especializada del AKC y un medio excelente donde encontrar ayuda cuando uno decide incorporar a su vida un Schnauzer Miniatura.
- Al planificar sus cruzamientos, los buenos criadores se concentran en la salud, la calidad, el temperamento y la conformación física, y sólo reproducen los ejemplares que muestran gran calidad en todos los aspectos.
- Sea exigente a la hora de seleccionar al criador. Si él es realmente bueno, hará lo mismo con usted y con cualquier dueño potencial; le entrevistará para cerciorarse de que cada uno de sus cachorros va a vivir a un buen hogar.

Elegir el cachorro adecuado

Ahora está listo para elegir a su cachorro. Ha decidido que el Schnauzer Miniatura es la raza adecuada para usted porque lo que quiere es un perro inteligente, activo y de talla pequeña.

Está dispuesto a acicalarlo sistemáticamente y a llevarlo a un peluquero profesional cuando sea necesario. La familia completa está lista para recibir al nuevo ser que de ahora en adelante formará parte de su vida y hogar. Ya ha hecho su parte localizando a un criador responsable con una camada disponible.

Ha llegado a la hora indicada y el criador ha preparado a los cachorros para que los vea. Deben estar contentos, limpios y acicalados, con las trufas húmedas y el pelaje brillante; además, han de estar lo bastante robustos para que no se les marquen las costillas. ¡Lucirán y se comportarán como deliciosos cachorros de Schnauzer Miniatura!

En muchos sentidos, un cachorro es como un niño. Depende de su grupo humano para recibir toda clase de cuidados; entre ellos, claro está, muchos abrazos de sus nuevos mamá, papá y hermanitos.

Tal vez el criador tenga una camada de cinco a seis cachorros, pero solo le mostrará aquellos que están a la venta. También puede que decida enseñarle aquellos que él considera que son los más apropiados para usted y su familia. Los criadores destacados crían por igual cada cachorro y cada camada, de ahí que todos reciban la misma atención tanto por parte de él como de la perra. Puede que alguno de los perritos no tenga las marcas correctas o un adecuado emplazamiento de cola, pero eso no quita que sea un buen compañero para la familia deseosa de tener una mascota. ¡No espere encontrar un perro con calidad de Mejor de Exposición en su primera incursión en la búsqueda de un cachorro! Lo que no quiere decir que no pueda dar con uno fantástico, capaz de convertirse en un integrante de la familia pleno de salud y alegría durante todo el tiempo que dure su vida. Para tener un gran compañero no necesita un cachorro con potencial para exposiciones, sino uno sano y correcto.

No le será fácil tomar una fotografía familiar de la perra y sus cachorros el día que vaya a verlos, pero lo importante es que sean amistosos, estén sanos y se muestren interesados en conocerle. A pesar de la tensión que conlleva criar una camada, la perra también deberá verse saludable y con buen temperamento.

La familia completa debe tomar parte en la selección del nuevo miembro. Lleve a los niños, cuando haya encontrado un criador con una camada disponible.

Hay criadores que analizan el temperamento de sus cachorros por medio de un profesional, un veterinario o un colega. Así detectan al súper energético y al de respuesta más lenta, al de espíritu independiente y al que sigue al grupo. Si la camada ha sido sometida a pruebas de temperamento, el criador le sugerirá el cachorro que él considera se ajusta más a su núcleo familiar. Si no, usted mismo puede hacer pruebas sencillas mientras está sentado en el suelo con los perritos.

Palméese la pierna o chasquee los dedos y observe cuál es el cachorro que se le acerca primero. Aplauda y fíjese en si alguno de ellos se aleja asustado. Observe la manera en que juegan unos con otros y ponga su atención en aquel cuya personalidad le resulte más atractiva, porque probablemente será el que se lleve a casa. Busque ese que parece estar «en el medio», que no es demasiado alborotador pero tampoco sumiso. Es bueno que sea alegre, pero no salvaje. Dedique tiempo a seleccionar su mascota. Si duda, dígale al criador que desearía irse a casa para pensarlo mejor. Se trata de una decisión importante porque implica integrar a un miembro a la familia que puede acompañarles durante los próximos diez o quince años. Asegúrese de quedarse con ese cachorro que los hará felices a todos.

También hay otra opción: adoptar un Schnauzer Miniatura de algún centro de rescate. Allí encontrará perros que, por cualquier razón, están esperando encontrar un nuevo hogar. Suelen tener alrededor de un año y con frecuencia están adiestrados y educados en cuanto a sus necesidades fisiológicas. La organización de rescate de la raza se ocupará de bañar y acicalar al animal que elija, además de proporcionarle un certificado del veterinario que atestigua su estado de salud. Por lo general, estos perros llegan a ser magníficas mascotas debido a la gratitud que sienten por tener una segunda oportunidad en un hogar afectuoso. Los clubes nacionales tienen organizaciones de rescate activas, pero también en diversas localidades los clubes afiliados tienen grupos de personas trabajando en ello. Los comités de rescate están constituidos por personas voluntariosas y muy comprometidas con la raza, que dedican incontables horas de su tiempo y dinero a rescatar, encontrar hogares adoptivos y buscar nuevas moradas permanentes para estos perros.

ELEGIR EL CACHORRO ADECUADO

Resumen

- Una vez que haya localizado al criador, es hora de visitar la camada y conocer los cachorros.
- Tanto la camada como sus progenitores deben verse sanos y recibir mucha atención del criador. Los locales donde se encuentran deben estar limpios.
- Parte de la diversión consiste en llegar a conocer la personalidad de cada uno de los cachorros y encontrar ese que se aviene perfectamente a usted.
- Aquellos que prefieran no transitar por la etapa del cachorro, tienen la gran oportunidad de adoptar un Schnauzer Miniatura proveniente de un centro de rescate; de esta manera, no sólo se hacen con un perro de la raza sino que le están ofreciendo a ese animal otra oportunidad de encontrar un buen hogar.

Ya ha seleccionado a su cachorro y ha llegado la hora de llevarlo a casa. Pero antes debería comprar comida, recipientes, correa y collar.

También debe considerar adquirir una jaula, no solo para que duerma, sino para que se quede en ella cuando esté solo en casa o cuando vaya a pasar algunas horas sin que alguien lo pueda vigilar. En poco tiempo, habrá aprendido que la jaula es su segundo hogar. Se sentirá seguro y protegido en ella. Cuando se deja un cachorro solo y suelto, se aburre en seguida y comienza a morder los muebles y otros elementos decorativos. Mantenerlo confinado cuando usted no está cerca puede eliminar esos problemas. También necesita comprar algunas toallas o colchones lavables para ponerlos en la jaula y hacerla más confortable.

El corte de orejas suele hacerse cuando los cachorros tienen pocos días de nacidos, por eso el de la fotografía ya las tiene perfectamente erectas. El criador le dirá cómo debe cuidar las orejas operadas de su Schnauzer.

Si ha de conducir lejos para recoger el cachorro, lleve una o dos toallas, un recipiente para el agua, la correa y el collar. Añada algunas bolsas de plástico y un rollo de servilletas por si el perrito hace sus necesidades en el coche, o se marea y vomita.

Los primeros días y la seguridad del cachorro

Antes de llevar al cachorro a casa, debe tener presente que es como un niño pequeño y que en su vivienda existen peligros potenciales que es necesario eliminar. Los cables eléctricos deben elevarse del suelo y esconderse de la vista porque resultan muy tentadores para morder. Las piscinas y los estanques también pueden ser muy peligrosos: cerciórese de que su mascota no pueda entrar o caerse en ellos. Para prevenir accidentes será mejor poner barreras. No todos los perros son capaces de nadar y los que, como el Miniatura, tienen patas cortas, no pueden salir de una piscina cuando se han caído dentro. También ha de revisar los balcones, las barandas y los enrejados para comprobar que el cachorro no puede deslizarse entre los barrotes y precipitarse desde una altura.

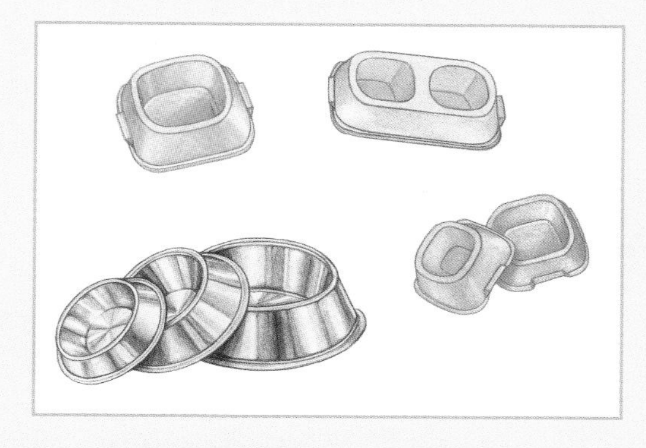

El Schnauzer Miniatura no necesita recipientes demasiado grandes para el agua y la comida, pero sí deben ser fuertes, resistentes a los mordiscos y fáciles de lavar.

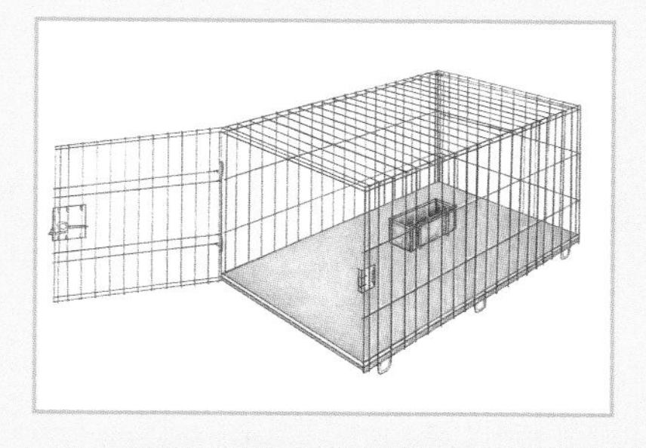

Uno de los artículos más importantes para la educación y seguridad del cachorro es la jaula de alambre, el tipo más popular. Compre una que le sirva también cuando su Schnauzer haya crecido.

Si tiene niños pequeños en casa, debe procurar que entiendan que un cachorrito es una criatura viva y, como tal, debe ser tratada con delicadeza. No pueden manipularlo con rudeza, tirarle de las orejas, o tomarlo en brazos para luego dejarlo caer. Esta responsabilidad es suya. El niño al que se le enseña desde pequeño a relacionarse con los animales puede convertirse en un compasivo dueño y amante de los mismos para toda la vida.

Utilice el sentido común. Piense dónde un pequeño puede meterse en problemas y el cachorro estará allí, ¡justo detrás de él!

Cuando el pequeño Schnauzer llegue a casa por primera vez (después de haber hecho sus necesidades fuera), déjelo que conozca su nueva morada y entorno. Ofrézcale agua y una comida ligera. Cuando se canse de husmear, sáquelo para que vuelva a desahogarse y después póngalo en la jaula, ya sea para echar una siesta o –eso esperamos– para dormir toda la noche.

Los dos primeros días el cachorro debería poder estar lo bastante tranquilo, y tener tiempo de acostumbrarse a su nuevo hogar, familia y ambiente. Puede que llore un poquito la primera noche, pero un suéter blando de lana o un juguete apropiado para su edad y tamaño, dentro de la jaula, le proporcionarán algún calor y sentido de seguridad. También ayuda colocarle cerca un reloj de tic tac o una radio con música suave. Recuerde que a él lo han separado de su madre, de uno o dos de sus hermanos y de la figura familiar del criador, por eso necesita uno o dos días para adaptarse a su familia recién adquirida. Si se queja la primera noche, déjelo; eventualmente se tranquilizará y se quedará dormido. A la tercera noche ya debería estar adaptado.

Si usted es dueño de otras mascotas, sea prudente a la hora de relacionarlas con el cachorro. Tal vez el gato se esconda por algunos días, pero al final saldrá. Si tiene un perro viejo y delicado de salud, no debe permitir que el cachorro lo mortifique. Sea paciente y verá como al cabo de una semana le parecerá como si el perrito, usted y

Lo más importante que puede reservar a su nuevo cachorro es ¡mucho amor!

su familia han estado juntos durante años.

La comida del cachorro

Escoger una comida apropiada es algo que también ha de considerar todo nuevo propietario. En realidad, la nutrición de un cachorro es muy fácil. Las compañías productoras de alimentos para perros tienen contratado numeroso personal científico e invierten millones de euros en investigaciones para determinar cuál es la dieta más saludable en cada etapa de la vida canina. El criador debe haber estado dándole a la camada una comida para cachorros de primera calidad, y usted debería continuar con esa misma dieta. Cuando el pequeño crezca, puede entonces cambiarla por otra, dentro de esa misma marca, elaborada para perros adultos. No añada vitaminas ni ninguna otra cosa a menos que el veterinario se lo indique. No crea que cocinándole una comida especial conseguirá un alimento más nutritivo que el que producen las fábricas de alimento canino.

Es probable que el cachorro haya estado recibiendo tres comidas diarias e incluso cuatro. Cuando comience a crecer, le reducirá la frecuencia a dos, una por la mañana y otra por la tarde. Cuando alcance los ocho meses le cambiará la dieta por una para perros adultos. Para saber la cantidad, lea las instrucciones del paquete: allí encontrará lo que corresponde a cada perro por kilogramo de peso. Puede rociar la comida seca con un poco de agua a fin de humedecerla y también agregarle una cucharada o algo así de comida canina enlatada para mejorar el sabor. Reduzca al mínimo las golosinas de la mesa porque no es recomendable que su perro se acostumbre a pedir comida o que engorde, además de que algunos «alimentos humanos» le resultan perjudiciales. A la hora de dormir dele alguna golosina canina y, cuando haya que recompensarlo por buenas conductas, solo pequeños trocitos. Debe tener bien cubiertas las costillas, pero sin estar obeso.

Sin embargo, mientras más activo es un perro más calorías

Hay diferentes tipos de estéticos bolsos para transportar cachorros y perros pequeños, pero antes de sacar el Schnauzer al gran mundo debe darle tiempo para que se adapte. También debe coordinar con el veterinario la vacunación antes de llevarlo de un lado a otro.

necesita. Téngale siempre agua fresca, puede ponerle un recipiente en la cocina y otro fuera, en el patio.

Ahora ya están dadas todas las condiciones para un comienzo excelente con su cachorro. A medida que pase el tiempo se dará cuenta de los otros artículos que irá necesitando, como varios juguetes resistentes para mordisquear, una correa extensible para los paseos por el parque –cuando el perro haya aprendido a ca-

Las golosinas le ayudarán en la adaptación del cachorro y facilitarán que le asocie a usted, su nuevo líder, con cosas agradables.

minar disciplinadamente con la correa normal–. También va a necesitar instrumentos para el acicalado y un equipo de pala y recogedor para retirar las heces. Todo esto puede adquirirlo en la tienda para mascotas más cercana.

Preparar la casa para la llegada del cachorro, eliminando cualquier peligro, implica hacerlo dentro y fuera. No le permita el acceso a lugares donde pueda haber productos químicos, fertilizantes y plantas tóxicas, y supervise en todo momento sus exploraciones.

LLEGADA A CASA DEL CACHORRO

Resumen

- Antes de llevar el cachorro a su nueva morada debe comprar todos los artículos necesarios y revisar la vivienda en detalle para eliminar los posibles peligros.
- Entre los artículos que va a necesitar están la comida para cachorros, los recipientes para el agua y la comida, un collar, una correa y una jaula.
- Deje tranquilo al cachorro los dos primeros días. Acaba de hacer una gran transición y necesita tiempo para adaptarse sin sentirse abrumado.
- Haga las presentaciones del cachorro con cuidado, en especial aquellas donde intervengan niños y otras mascotas.
- Pida consejo al criador sobre cómo escoger una buena comida para cachorros.

Todo cachorro de Schnauzer Miniatura necesita un espacio propio, un rinconcillo acogedor y seguro donde pueda sentirse protegido. Ya sé lo que está pensando..., pero no, la jaula no es cruel, no es un castigo.

Los cánidos son, por naturaleza, animales de madriguera, gracias a los miles de años que sus antepasados vivieron en cuevas y grutas. Por eso los cachorros se adaptan tranquilamente a permanecer en la jaula.

Los perros son también criaturas por esencia limpias y no les gusta ensuciar sus «refugios» o espacios vitales; esto convierte la jaula en una herramienta natural para la educación de los hábitos higiénicos de los cachorros. Por eso la jaula se convierte, en verdad, en un accesorio multifuncional: el hogar privado del Schnauzer Miniatura dentro de la casa, un instrumento no represivo para la educación doméstica, un medio de protección para la casa y las

Educar al Schnauzer Miniatura para que se desahogue fuera de casa es muy importante si desea disfrutar junto a él de una vida feliz.

pertenencias mobiliarias cuando el dueño está ausente, un medio de transporte para que el perro viaje seguro (la mayoría de los hoteles los aceptan si van en sus jaulas) y, por último, un espacio cómodo para el cachorro cuando están de visita sus parientes anti-perros.

Algunos criadores de experiencia recomiendan la jaula para los cachorros que salen de sus casas; otros, incluso, los acostumbran a su uso mientras están con ellos. Pero lo más probable es que su Schnauzer Miniatura nunca haya estado en contacto con una jaula, así que está en sus manos conseguir que la primera experiencia sea placentera.

Cuando lo relacione por vez primera con la jaula, ponga en el interior un trocito de golosina para motivarlo a entrar, y continúe haciendo lo mismo durante los dos primeros días. Elija una orden para esto, que puede ser: «Jaula», «Entra», «Dentro», y dígala cada vez que él entre. Ponga en uso la jaula desde el primer momento para que el cachorro aprenda que es su nuevo «hogar». También puede servirle sus

Todos los miembros de la familia pueden ayudar en la educación del perro que, en su etapa de cachorro, necesita salir con mucha frecuencia a hacer sus necesidades; por eso es bueno que haya varios familiares involucrados en el proceso de adiestramiento.

Las jaulas son formidables para la educación de los cachorros y para muchas cosas más. Por ejemplo, en las exposiciones caninas los perros suelen descansar en ellas cuando no están en el *ring*.

primeras comidas dentro, sin cerrar la puerta, y eso le permitirá asociarla con una experiencia agradable.

Desde la primera noche el cachorro debe dormir en su jaula. Puede quejarse o rechazar el encierro, pero usted deberá mantenerse firme y seguir con el adiestramiento. Si llora y usted lo suelta, le estará dando la primera lección: «Si lloro, me sacan y a lo mejor hasta me abrazan». No es una buena pauta para el cachorro.

Lo mejor es que, durante las primeras semanas, coloque por las noches la jaula cerca de su cama. Su presencia lo tranquilizará y usted podrá estar al tanto de si el animal necesita salir durante la madrugada a hacer sus necesidades. Cualquier cosa que decida, no consienta en llevárselo a la cama. Para los perros, dormir en la cama del dueño significa ser iguales a él. Esto no es recomendable y menos a una edad tan temprana, cuando está intentando establecerse como líder ante el cachorro.

Practique el uso de la jaula poniéndolo en él para dormir la siesta, por la noche y siempre que no pueda vigilarlo de cerca. No se preocupe..., él le hará saber cuándo se despierta y necesita salir a desahogarse. Si se queda dormido bajo la mesa y se despierta cuando usted no está cerca, adivine qué es lo que hará primero: sí, un charco de orina, y entonces lo pisoteará cuando se dirija hacia usted para decirle «¡Hola!».

Conviértase en el guardián del Schnauzer Miniatura. La rutina, la constancia y un ojo de águila son claves para tener éxito en la educación. Los cachorros siempre «van» cuando se despiertan (¡ya, en seguida!), después de comer, luego de un período de juego y tras breves ratos de confinamiento. La mayoría de los que no tienen aún tres meses de edad necesitan desahogarse más o menos cada hora, lo que puede significar diez o doce veces al día (ponga una alarma para que no se le olvide). Lleve siempre al cachorro a la misma área, diciéndole «Afuera», mientras salen. Elija una palabra de recordatorio para hacer las necesidades («Venga», «Ahora», «Hazlo»), y úsela cuando él esté orinando, mientras lo alaba con alguna expresión como «¡Muy bien!». Use siempre la misma puerta para sacarlo a desahogarse y, cuando lo confine, que sea cerca de esa zona: así él encontrará la salida en el momento en que lo necesite. Fíjese cuando el cachorro esté olisqueando y dando vueltas sobre sí mismo, porque son señales inequívocas de que necesita hacer sus necesidades. No le permita deambular por la casa hasta que haya recibido la educación básica... ¿Cómo podría encontrar la puerta de salida al patio si tiene dos o tres habitaciones por el medio? Comprenda que él todavía no ha tenido tiempo de familiarizarse completamente con la disposición de la casa.

Claro que habrá ocasiones en que se desahogue fuera del lugar indicado. A todos los cachorros les pasa. Si lo sorprende en el acto, dé una palmada con fuerza y diga en voz alta: «¡Aaaaah! ¡Aaaaah!», entonces empújelo fuera. Su voz deberá asustarlo y detenerlo. No se olvide de elogiarlo cuando termine de hacer sus necesidades en el lugar indicado.

Si descubre el charco de orina después de ocurridos los hechos..., más allá de tres o cuatro segundos..., es demasiado tarde. Los perros solo tienen conciencia del presente y por eso

Llevando al Schnauzer Miniatura dentro de su jaula en los viajes largos que hacemos en coche, no solo lo protegemos de cualquier peligro sino que lo estimulamos a «aguantar» hasta que podamos hacer un alto en el camino.

no comprenden un correctivo que llega más de cinco segundos (eso: cinco segundos) después. Regañarlos más tarde solo les producirá temor, confusión y, posiblemente, una conducta aberrante, así que olvídelo y prométase estar más vigilante.

Nunca (así como se lo decimos: n-u-n-c-a) frote la trufa del cachorro en el charco de orín o en las heces, ni le pegue con la mano, con un periódico o con cualquier otro objeto a fin de castigarlo, o por cualquier otra razón (tampoco si se trata de un perro adulto).

He aquí un consejo para la educación del cachorro: retírele el recipiente de agua después de las 7:00 p.m. para ayudarlo a controlar la vejiga durante la noche. Si tiene sed, ofrézcale un cubito de hielo. Ya lo verá correr al refrigerador cada vez que le oiga trajinando con la cubeta de hielo.

Al margen de sus múltiples beneficios, no se puede abusar de la jaula. Los cachorros menores de tres meses no deben estar nunca confinados por más de dos horas seguidas, a menos, claro está, que estén durmiendo. Como regla general, se considera que tres horas es lo máximo para un cachorro de tres meses, cuatro para uno de cuatro o cinco y no más de seis para uno de más de seis meses de edad. Si no puede estar en casa para soltar al perro, póngase de acuerdo con algún vecino, familiar o un cuidador de perros para que lo saque a hacer ejercicios y necesidades.

Si no se siente capaz de usar la jaula para educar al cachorro o si prefiere hacerlo con ayuda del papel de periódico, entonces el método es en esencia el mismo. A veces, esta es la única opción en el caso de los perros urbanos. Asígnele un lugar para el desahogo corporal, uno que no se encuentre en el paso de la gente, y cúbralo con papel. Lleve al cachorro al área destinada sistemáticamente. Use una palabra específica para el acto y elógielo cuando haya terminado. No use esa área para ninguna otra cosa excepto para servir como retrete. Y manténgala limpia. Puede colocar en ella un pequeño pedazo de papel ya usado para recordarle al cachorro por qué lo ha llevado hasta allí. Su olfato le indicará qué tiene que hacer.

¿Qué hacer con un cachorro suelto cuando el dueño no está en casa? Confinarlo en un área cerrada usando barreras para perros. Eliminar posibles riesgos no es suficiente protección ni siquiera dentro de un espacio vacío... Un Schnauzer Miniatura aburrido puede llegar a morder hasta las paredes. Si consigue un corral de 1,20 m^2 (adquirible en la tienda para mascotas), lo bastante fuerte para que el cachorro no lo pueda derribar, podrá mantenerlo encerrado por breves períodos de tiempo. Coloque papel en una esquina para que sepa dónde desahogarse y, tal vez, un cobertor en la esquina opuesta para que pueda dormir la siesta. Los cachorros de Schnauzer Miniatura no se conforman con estar tumbados royendo un juguete. Si no dispone de una jaula o no le gusta acostumbrarlo a ella, y tampoco puede vigilarlo, prepárese para afrontar las consecuencias.

Lo más importante a recordar es que el éxito de la educación del cachorro se apoya en la constancia y la repetición. Mantenga un programa estricto y use las palabras clave constantemente. Los propietarios bien entrenados tienen cachorros de Schnauzer Miniatura bien entrenados.

PRIMERAS LECCIONES

Resumen

- La primera clase de educación que recomendamos para el Schnauzer Miniatura es enseñarle hábitos higiénicos correctos. Esta es la clave para compartir con su perro una vida limpia.
- ¡Las jaulas no son crueles! Por el contrario, son las herramientas más útiles para la protección y la educación de los cachorros; de hecho, tienen usos múltiples.
- La jaula debería ser ese lugar feliz donde su cachorro se siente seguro. No la use nunca como castigo.
- Acuérdese de sacar con frecuencia al cachorro al área de desahogo corporal y también de vigilarlo, para que pueda captar las señales indicativas de que le urge hacer sus necesidades.
- Solo si lo sorprende en el acto de desahogarse fuera del área señalada, podrá regañarlo. Del mismo modo, elógielo cuando lo hace en el sitio correcto.
- El adiestramiento con papel puede ser una opción para algunos dueños de Schnauzer Miniatura.

Si desea vivir en armonía con su Schnauzer Miniatura, tendrá que convertirse en el jefe de la manada.

Es una raza pequeña, pero fuerte y robusta, además de tener mala fama por su carácter tozudo; de modo que el adiestramiento temprano es especialmente importante tratándose de ella. El preescolar del cachorro debe comenzar el mismo día de su llegada a la casa.

Cuando el Schnauzer estaba en el hogar del criador, aprendía todas las lecciones vitales de él, y también de su madre y hermanos. Si jugaba demasiado rudamente o los mordía muy fuerte, los hermanos lloraban y abandonaban el juego. Si se comportaba de manera prepotente u ofensiva, su progenitora le daba una suave manotada. Ahora es su familia humana la que tiene que enseñarle la conducta adecuada, pero de tal manera que su pequeña mente canina pueda

El cachorro de Schnauzer Miniatura es un aprendiz rápido, ávido y brillante cuando se concentra en usted, su maestro, con su gran energía infantil.

entenderlo. Recuerde también que, desde la perspectiva de un perro, las reglas humanas no tienen ningún sentido.

Cuando comience el proceso de enseñanza, tenga siempre presente que las primeras veinte semanas de vida constituyen la etapa más preciosa para el aprendizaje; es un período en el que la mente del perro está en su máxima capacidad de absorber cualquier lección, tanto positiva como negativa. Las experiencias positivas y la adecuada socialización son, en este momento, sumamente importantes para su desarrollo y estabilidad futuros. Hablaremos más adelante sobre la socialización; hay que saber que la cantidad de tiempo productivo que se invierta ahora en su cachorro determinará el tipo de perro que llegará a ser. ¿Un caballero, una dama o un perro salvaje? ¿Educado o desobediente? Depende de usted.

Las investigaciones acerca de los perros nos enseñan que cualquier comportamiento premiado será repetido (es el llamado «refuerzo positivo»). Si

Los primeros pasos para enseñar al cachorro las órdenes básicas son dejar que se acostumbre al collar y la correa, y ganarse su atención con golosinas y juguetes.

A las dieciséis semanas de edad este Schnauzer Miniatura está aún en pleno estado «de esponja», o sea, preparado para absorber todo lo que se le enseñe.

pasa algo bueno, como recibir una sabrosa golosina o abrazos y besos, el cachorro deseará de manera natural repetir el comportamiento. La ciencia que estudia la conducta canina ha demostrado que uno de los mejores caminos para llegar a la mente de un cachorro es su estómago. ¡Nunca subestime el poder de un trozo de hígado! Eso nos lleva a otra regla muy importante relacionada con el cachorro: mantenga siempre los bolsillos repletos de golosinas porque así estará preparado en todo momento para reforzar cualquier comportamiento positivo justo en el instante en que se produzca.

El mismo principio del refuerzo se aplica a las conductas negativas, o a lo que las personas puedan considerar negativo (como revolver el cubo de basura, algo que ni el cachorro ni el perro adulto saben que «está mal»). Si el cachorro se mete en la basura, roba comida o hace cualquier otra cosa agradable para él, lo repetirá. ¿Qué mejor razón para mantenerlo bajo vigilancia e impedir esos comportamientos caninos absolutamente «normales»?

Las clases ya van a comenzar. Primera regla: el cachorro debe aprender que usted es ahora el perro «alfa» y el nuevo jefe de la manada. Segunda regla: tiene que enseñarle todo de manera que él lo entienda (lo siento, pero ladrando no lo conseguirá). Recuerde siempre que su Schnauzer Miniatura no sabe nada acerca de los estándares de conducta humanos.

Asociación de palabras

Utilice la misma palabra u orden para enseñar el mismo comportamiento y añada recompensas comestibles y elogios verbales para reforzar cualquier conducta positiva. El cachorro hará la conexión y se sentirá inclinado a repetirla cada vez que escuche la palabra clave. Por ejemplo, cuando le esté enseñando a hacer sus necesidades fuera de casa, use siempre la misma orden («Venga», «Ahora», «Hazlo») cuando lo vea desahogándose, y añada: «!Muy bien!», mientras él orina o defeca. El cachorro aprenderá en seguida cuál es el propósito de esas salidas fuera de casa.

Los hermanos del cachorro son sus primeros «compañeros de clase», mientras aprende de su madre y de la interacción con ellos las primeras lecciones de su vida.

Sincronía

Todos los perros aprenden sus lecciones en el presente. Es necesario atraparlos en el acto (bueno o malo) para poder dispensar recompensas o castigos. Usted tiene de tres a cinco segundos para conectarse con su perro; de no hacerlo así, él no entenderá qué hizo mal. Por eso, la sincronía y la constancia son las dos claves para tener éxito al enseñarle conductas nuevas o corregirle las malas.

Principios del adiestramiento

Conseguir buenos resultados en el adiestramiento de los cachorros depende de varios principios importantes:

1. Use órdenes sencillas de una sola palabra y dígalas una sola vez. De lo contrario, el cachorro aprenderá que «Ven» (o «Siéntate» o «Échate») son órdenes de tres o cuatro palabras.
2. Nunca lo corrija por algo que haya hecho minutos antes. Solo cuenta con un lapso de tres a cinco segundos para sorprenderlo. Esté atento: los cachorros cometen travesuras con frecuencia.
3. Elógielo siempre (y dele una golosina) tan pronto como haga algo bien (o cuando detenga un mal comportamiento). Si no, ¿cómo va a comprender el cachorro que está portándose correctamente?
4. Sea coherente. No puede acurrucarse con el perro en el sofá para ver la televisión hoy, y regañarlo mañana porque está subiéndose en el mueble.
5. Nunca lo llame para regañarlo por algo que haya hecho mal, porque el perro creerá que el regaño es resultado de haber acudido a usted. (Debe pensar como perro, ¿recuerda?) Siempre debe ir usted hacia él para detener cualquier comportamiento no deseado, pero recuerde que ha de ser en el instante preciso en que se produce, y no después.
6. Jamás le dé una patada ni lo golpee con la mano, un periódico o cualquier otro objeto. Esta clase de abuso físico solo generará miedo y confusión en el animal y podría desencadenar un comportamiento agresivo en el futuro.
7. Cuando lo elogie o lo corrija, use sus mejores recursos vocales. Una voz alegre y ligera para el elogio; una firme y áspera para las advertencias y las reprimendas. Si le dice: «No, no» o «Déjalo», en tono plañidero, no resultará muy convincente; tampoco el cachorro sabrá que se está portando bien si se dirige a él con una voz profunda y áspera.

Su perro también responderá en consonancia con las discusiones familiares. Si hay una pelea a grito limpio, creerá que hizo algo malo y tratará de protegerse. Así que nunca discuta delante de los niños... ¡ni del perro!

de un perro suave que no responde bien a las correcciones o los métodos de adiestramiento ásperos. El preescolar para cachorros y las subsiguientes clases de Obediencia son la mejor manera de combatir su tozudez.

En un principio, enseñe al cachorro la orden de venir tentándolo con uno de sus juguetes favoritos. Cada vez que él acuda a usted, procure que el resultado sea bueno, para que siempre tenga deseos de obedecerle.

A pesar de la naturaleza ocasionalmente testaruda del Schnauzer Miniatura, se trata

Juegos

Jugar con el cachorro es una excelente manera de entretenerlo a él y de entretenerse usted mientras, en medio de la diversión, le da lecciones por vía subliminal. Establezca un plan de juegos y guárdese en el bolsillo un puñado de sabrosas golosinas; haga que sean cortos para no exceder los límites de atención del cachorro. Los Schnauzers Miniatura se aburren con demasiadas repeticiones.

El juego de «Atrápame» le ayudará a enseñarle la orden de acudir. Dos personas se sientan en el suelo a unos cuatro o cinco metros de distancia; mientras una sostiene y acaricia al cachorro, la otra lo llama alegremente: «Perrito, perrito, ¡ven!». Cuando el cachorro llega corriendo hacia ella, lo recompensa con grandes abrazos y una jugosa golosina. El proceso se repite varias veces, invirtiendo quién lo aguanta y quién lo llama..., pero sin excederse.

También se puede hacer uso de una pelota o de un juguete para arrojarlo entre las dos personas y que sea el cachorro el que lo devuelva. Cada vez que lo haga, hay que elogiarlo y volver a abrazarlo; entonces se le da una golosina para que suelte el objeto y podérselo tirar una vez más. Luego se repite.

El juego del escondite es otro que enseña la orden de venir. Practíquelo fuera de la casa, en el patio o en alguna otra área cerrada y segura. Cuando el cachorro esté distraído, ocúltese detrás de un arbusto. Atísbelo para que sepa en qué momento él se percata de que usted se fue y va corriendo a buscarle (créame, es lo que hará). Tan pronto como se acerque, salga del escondite, agáchese extendiendo los brazos y llámelo: «Perrito, ¡ven!». Este juego crea también un excelente lazo entre dueño y perro, y le enseña al animal que depende de su amo.

«¿Dónde está el juguete?» es otro juego ideal para iniciar al perro en el cobro de objetos. Comience por colocar a la vista uno de sus muñecos favoritos. Pregúntele: «¿Dónde está tu juguete?», y deje que lo tome. Entonces saque al perrito fuera de la habitación y esconda el juguete de manera que sea visible solo una parte de él. Traiga al perro de vuelta y hágale la misma pregunta. Cuando encuentre el objeto, alábelo efusivamente. Repita el mismo juego varias veces. Finalmente, esconda bien el muñeco y deje que el cachorro use su olfato. Confíe en él..., lo encontrará.

A los cachorros de Schnauzer Miniatura les encanta divertirse con su familia humana. Los juegos son excelentes herramientas de aprendizaje y una de las mejores maneras de enseñarles confianza y obediencia.

EDUCACIÓN INICIAL

Resumen

- Aunque el Schnauzer Miniatura es inteligente, también puede ser tozudo y esto es un reto para sus dueños, quienes deben establecerse como líderes desde el principio.
- Saque ventaja de la capacidad de aprendizaje del cachorro. Comience a adiestrarlo tan pronto como lo lleve a casa.
- El refuerzo positivo es la mejor manera de adiestrar perros y, definitivamente, la óptima para el Schnauzer Miniatura.
- El éxito en el adiestramiento se compone de dos elementos esenciales: la asociación palabra-acto y la sincronía.
- Aprenda y practique los principios básicos del adiestramiento canino.
- Enseñe las primeras órdenes mediante el juego. Los juegos estimulan al Miniatura a acudir hacia usted, acción que identificará como divertida.

Las órdenes básicas

Comience las clases tan pronto el cachorro llegue a la casa. Estudios realizados al respecto han demostrado que mientras más temprano se empieza, más fácil es el proceso y más éxito se alcanza en los resultados.

Imparta siempre las lecciones a su Schnauzer Miniatura en un ambiente tranquilo, sin distracciones. Cuando ya él haya dominado alguna de las tareas, cambie las clases de lugar, a otra habitación o al patio, y practique con otra persona o perro cerca. Si el cachorro reacciona ante la nueva distracción y no hace el ejercicio, retorne al lugar libre de distracciones por algún tiempo.

Para evitar confusiones, en las primeras etapas debe ser una sola persona la que le enseñe, por aquello de «muchas manos en un plato...». Cuando él ya haya aprendido y cumpla bien una orden, otros miembros de la familia pueden sumarse a la práctica.

Los esfuerzos que haga para adiestrar a su Schnauzer Miniatura se verán recompensados con un perro bien educado, inteligente y de chispeante personalidad, que podrá disfrutar a plenitud.

Antes de empezar las clases, ignore al perro durante algunos minutos (solo unos pocos, pues a los Schnauzers Miniatura no les gusta ser ignorados), pues la falta de estímulo hará que desee más su compañía y atención.

Procure que las lecciones sean cortas, así no se aburre ni pierde el entusiasmo. Esto es importante, sobre todo tratándose del Schnauzer Miniatura. Con el tiempo, él será capaz de concentrarse por períodos más largos. Varíe los ejercicios para mantenerlo animoso y obsérvelo para ver si da señales de aburrimiento o de falta de atención.

Haga que las clases de adiestramiento tengan siempre un tono positivo y alegre. Sea muy generoso con los elogios. Nunca entrene un cachorro o perro adulto, si usted no está de buen humor. Perderá la paciencia y él se sentirá culpable. Con ello solo se conseguirá revertir todo el progreso alcanzado.

Termine cada sesión con una nota positiva. Si ha estado batallando con el perro para conseguir que haga un ejercicio, o si no lo ha hecho bien, practique entonces uno que él ya domine

Sentarse disciplinadamente al lado del amo es el punto de partida para muchos otros ejercicios. Por eso, y por ser relativamente sencillo, es casi siempre el primero que se le enseña al perro.

La posición del quieto o tumbado resulta difícil enseñar, sobre todo a una raza como esta, con su carácter de Terrier independiente. Para los perros, tumbarse es una postura de sumisión y por eso no la asumen con facilidad.

(«¡Siéntate!») y, con este resultado airoso, ponga fin a la lección.

Plan de estudio

Antes de poder enseñar una orden con efectividad al cachorro, hay que tener dos cosas establecidas. Primero, él tiene que aprender a responder por su nombre (a reconocerlo) y, segundo, usted tiene que captar y retener su atención. ¿Cómo? Con golosinas, por supuesto. La mayoría de los Schnauzers Miniatura ¡viven para comer!

Las golosinas son bocadillos minúsculos, con preferencia, suaves y fáciles de tragar. Evite sobrealimentar al cachorro. Recomendamos lonchas finas de salchichas cortadas en cuadritos.

Atención y reconocimiento del nombre

Comience por llamar al cachorro por su nombre. Una vez. No dos ni tres, sino una. De lo contrario, aprenderá que tiene un nombre triple y se quedará inmóvil hasta escucharlo completo. Al principio, aproveche para llamarlo en aquellos momentos en que él no está distraído y usted está seguro de que le mirará. Tírele una golosina tan pronto como dirija la vista a usted. Repita este ejercicio por lo menos doce veces a lo largo del día. No le va a tomar más de veinticuatro o, a lo sumo, cuarenta y ocho horas, lograr que el cachorro entienda que su nombre significa comida sabrosa.

Establezca una orden de relajación

Esta orden es para hacerle saber al perro que se terminó el ejercicio; algo así como el «Descansen» que se usa en la vida militar. También puede usar «Listo» o «Libre». Usted necesitará una palabra de liberación para dar a entender a su Schnauzer Miniatura que puede relajarse y moverse de cualquier posición.

Tómalo y déjalo

Este comando ofrece demasiadas ventajas para enumerarlas todas. Coloque una golosina en la palma de su mano y mientras el cachorro la toma dígale: «Tómalo». Repítalo tres veces. La cuarta vez no diga una palabra en el momento en que el perro vaya a tomar la golosina..., sólo cierre sus dedos sobre ella y espere. No retire la mano, pero sepa que el cachorro ladrará, le tocará, lamerá y mordisqueará los dedos. Cuando finalmente se aleje, por lo general, contrariado, ábrala y dígale: «Tómalo».

Ahora, el segundo paso. Muéstrele la golosina que tiene en la palma de la mano y dígale: «Déjalo». Cuando él intente tomarla, cierre la mano y repita: «Déjalo». Repita el procedimiento hasta que él se aleje; espere sólo un segundo, abra su mano y dígale: «Tómalo». Repita el «Déjalo» hasta que el cachorro espere unos segundos, entonces ofrézcale la golosina diciéndole «Tómalo». Poco a poco, alargue el tiempo de espera entre el «Déjalo» y el «Tómalo».

Ahora vamos a enseñarle a dejar las cosas en el suelo, no ya en la palma de su mano (imagine todo aquello que no desearía que él recogiera). Colóquese frente al perro y arroje una golosina detrás de usted pero ligeramente hacia un lado para que él pueda verla; entonces dígale: «Déjalo». Es ahora de que «comienza el baile». Si él va por la golosina, use su cuerpo —no sus manos— para bloquearlo, y haga que se aleje. Tan pronto como se retire y renuncie a tratar de rodearle, quítese del medio y dígale: «Tómalo». Esté preparado para ponerse de nuevo frente a la golosina si él va por ella antes de que le dé permiso. Repita el proceso hasta que el perro entienda que debe esperar la orden.

Puede que el Schnauzer Miniatura necesite mayor estimulación para asumir la postura de tumbado: sea todo lo persuasivo y positivo que pueda.

Cuando el Schnauzer Miniatura aprenda bien esto, practíquelo con el plato de comida diciéndole «Déjalo», y luego, cuando obedezca (puede sentarse o permanecer de pie, mientras espera que le sirvan), «Tómalo». Al igual que antes, vaya extendiendo gradualmente el período de espera antes de darle la orden de «Tómalo».

Este sencillo ejercicio envía muchos mensajes al Schnauzer Miniatura. Le recuerda que usted es el jefe y que todas las cosas buenas, como la comida, vienen de usted. Contribuye a evitar que el cachorro se vuelva demasiado posesivo con el plato de comida, actitud que desemboca en comportamientos más agresivos. Los beneficios de un eficaz adiestramiento en las órdenes «Tómalo - Déjalo» son incontables.

Órdenes básicas

La orden de venir

Esta orden es potencialmente salvavidas..., porque impide que su Schnauzer Miniatura se aleje atravesando la calle, persiguiendo una ardilla o a un niño en bicicleta... En fin, la lista sería interminable.

Practique esta orden con el perro bajo correa. No puede correr el riesgo de fallar porque entonces él aprende que no siempre tiene que acudir cuando se lo llama, y usted necesita justamente que acuda cada vez que lo llame. Cuando haya conseguido la atención del cachorro, llámelo desde una distancia corta diciéndole, por ejemplo, «¡Ven, perrito!» (¡con su tono de voz más alegre!) y déle una golosina cuando llegue a usted. Si duda, tire con suavidad de la correa para animarlo a aproximarse. Entonces, sujete el collar con la mano mientras le da la golosina. Esto es importante. Con el tiempo, la etapa de la golosina quedará superada y solo se mantendrá la recompensa del elogio y las caricias. Esta maniobra, además, conecta el hecho de sostener el collar con el de acudir y recibir golosinas, lo que le será de mucha utilidad en el futuro para dirigir diferentes comportamientos.

Repita el ejercicio de diez a doce veces o en tres ocasiones a lo largo del día. Una vez que el cachorro haya dominado la orden de venir, continúe practicándola diariamente a fin de grabarla en su cerebro porque es, sin duda, la más importante de todas. Los dueños experimentados de Schnauzer Miniatura saben, sin embargo, que nunca se puede confiar por completo en que un perro acuda al llamarlo, si está enfrascado en alguna misión por cuenta propia. «Sin correa» es a menudo sinónimo de «sin control», una situación peligrosa para el perro.

La orden de sentarse

Cuando el Schnauzer Miniatura ha entendido el sistema «golosina», enseñarle este ejercicio es «coser y cantar». Permanezca de pie frente a él, póngale la golosina directamente sobre la trufa y vaya moviéndola lentamente hacia atrás. A medida que él intente alcanzarla, se irá sentando. Si se levantara para tomarla, bájela un poquito. Cuando sus cuartos traseros toquen el suelo, dígale: «Siéntate» (es una sola palabra: «Siéntate»). Suelte la golosina y sujételo por el collar con suavidad, como en la orden de venir. Así él conectará de un modo positivo la golosina, la posición de sentado y que lo sostengan por el collar.

A medida que pase el tiempo haga que el cachorro mantenga la posición de sentado durante períodos más largos antes de darle la golosina (este es el comienzo de la orden de «Quieto»). Comience a usar la palabra de liberación para que deje la postura de sentado. Practique esta orden como parte de sus actividades cotidianas; por ejemplo: que se siente mientras espera que le sirvan el plato de comida o le den un juguete. Ordénele sentarse a cualquier hora durante el día y siempre recompénselo con golosinas o elogios. Cuando ya domine la orden, combine el «Siéntate» y el «Déjalo» a la hora de la cena, y así el cachorro irá ampliando su vocabulario.

El adiestramiento es más efectivo cuando se basa en el refuerzo positivo, la regularidad y la confianza.

La orden de quieto

«Quieto» es realmente una extensión del «Siéntate» que el perro ya conoce. Mientras está sentado, bajo la orden, póngale la palma de la mano frente a la trufa y dígale: «Quieto». Cuente hasta cinco. Pronuncie entonces la palabra de liberación para que deje la posición de quieto, y alábelo.

Poquito a poco vaya alargando el tiempo en que el perro permanece en «quieto», pero siempre dejándole ocasión de liberar su energía infantil. Una vez que se mantenga quieto de manera confiable, aléjese un paso de él y luego vuelva a acercársele. Paulatinamente vaya extendiendo la duración y la distancia. Si el cachorro deja la posición de quieto, dígale: «No», y colóquese de nuevo frente a él. Use el tiempo con inteligencia, según la atención que muestre el perro.

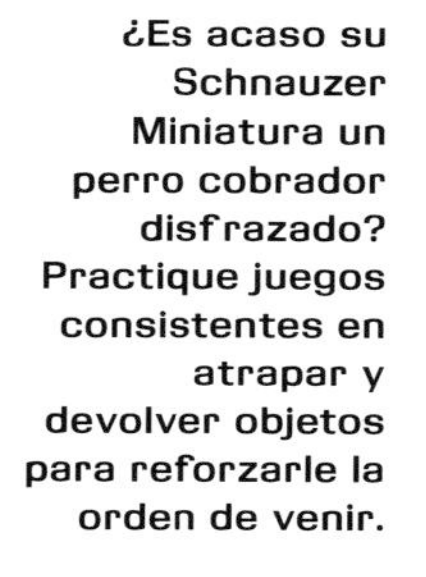

¿Es acaso su Schnauzer Miniatura un perro cobrador disfrazado? Practique juegos consistentes en atrapar y devolver objetos para reforzarle la orden de venir.

La orden de tumbarse

Puede costar trabajo que el perro llegue a dominar la orden de tumbarse. Al ser una postura de sumisión las razas autoritarias, como el Schnauzer Miniatura, pueden resistirse a ella. Por eso es tan importante enseñársela desde bien pequeños.

Partiendo de la posición de sentado, vaya moviendo la golosina desde la trufa del perro hacia el suelo y luego un poco hacia delante entre los dos pies delanteros. Si es necesario, sacúdala. Tan pronto como las patas de delante y el trasero toquen el suelo, dele la golosina y dígale: «Tumbado, muy bien, tumbado»; así conectará la conducta con la palabra. Sea paciente y, cuando él coopere, generoso con las golosinas.

Una vez que el perro se tumbe sin dificultad a la orden, incorpore el «Quieto» a la postura como hizo con el «Siéntate». Hacia los seis meses de edad, el cachorro debería ser capaz de quedarse firmemente sentado y tumbado durante diez minutos.

Enseñar al cachorro a caminar correctamente junto al amo, con la correa puesta, le permitirá progresar luego a la orden formal de «camina».

La orden de caminar

La verdadera orden de caminar viene un poquito después en la curva de aprendizaje. Lo único que tiene que enseñarle al cachorro de Schnauzer Miniatura es a caminar educadamente con la correa puesta, a su lado o cerca de usted. Esto se consigue mejor mientras es joven y pequeño y aún no ha llegado el momento en que intentará tirar de usted calle abajo; es pequeño ¡pero fuerte!

Comience las clases en seguida que el cachorro llegue a casa. Átele la correa al collar de hebilla y déjelo deambular con ellos durante un rato cada día. Si muerde la correa, distráigalo jugando con él o úntela con una sustancia repelente para que tenga mal sabor. Juegue con él mientras lleva la correa puesta.

Después de unos días, tome la correa en la mano mientras usted y el perro se encuentran en un sitio libre de distracciones, dentro de la casa o en el patio, entonces dé algunos pasos. Tenga una golosina en la mano para animarlo a caminar junto a usted. Palméese la rodilla y use su voz más alegre. Dé sólo unos pocos pasos cada vez. Mientras avanza dígale: «!Vamos!» y controle la golosina para mantenerlo cerca, dé unos cuantos pasos más, obséquiele con la golosina ¡y alábelo mucho!

Procure que las sesiones sean cortas y festivas, de no más de treinta segundos. Nunca regañe o arrastre al cachorro para hacerlo caminar más rápido o más despacio; sólo estimúlelo con una charla alegre. Al principio, camine recto hacia delante y, a medida que él vaya entendiendo lo que pretende, vaya incorporando algunos giros amplios. Haga luego giros de 90 grados mientras le dice festivamente: «!Vamos!», tira con suavidad de la correa y, por supuesto, le da una golosina. Camine tramos breves que no le tomen más de treinta o cuarenta segundos, haciendo alegres recesos (use entonces la orden de liberación) entre una sesión y otra, y compartiendo con él algún corto juego (los abrazos son muy efectivos). Procure que el tiempo total del adiestramiento sea breve y termine siempre con una nota de triunfo, incluso si el cachorro adelanta sólo unos pocos pasos.

No es muy probable que el diminuto Schnauzer Miniatura consiga arrastrar a su dueño calle abajo. Pero, aun así, debe caminar correctamente junto a él, sujeto de su correa.

Esperar

Usted agradecerá este ejercicio, sobre todo cuando su Schnauzer Miniatura llegue a casa mojado o lleno de barro. Trabaje la orden de esperar frente a una puerta cerrada. Empiece por abrir la puerta como si fuera a salir o entrar. Cuando el perro trate de seguirlo, párese enfrente y bloquéele el paso. No use todavía la orden de esperar. Guárdesela hasta que él renuncie a seguirle y pueda abrir la puerta un poquito para salir. Entonces diga: «Pasa» o «Ahora», y permítale traspasar la puerta. Repita el bloqueo corporal hasta que entienda y le espere; entonces comience a usar la orden de «Espera». Practique con diferentes puertas dentro de la casa y use las entradas desde afuera (hacia áreas seguras o cerradas) solo cuando él sea capaz de esperar con fiabilidad.

Mantenga la práctica

La práctica incesante de la obediencia es una regla de por vida, sobre todo, tratándose de una raza voluntariosa como el Schnauzer Miniatura. Los perros, perros son, y si nos les mantenemos las habilidades adquiridas, retrocederán a sus comportamientos desatentos y desorganizados, que serán entonces más difíciles de corregir. Incorpore todas estas órdenes a la rutina diaria y tendrá un Schnauzer Miniatura que le hará sentirse orgulloso.

LAS ÓRDENES BÁSICAS

Resumen

- Comience las clases en un lugar libre de distracciones y haga que sean cortas para que el cachorro no pierda la concentración ni se aburra.
- La hora del adiestramiento tiene que ser alegre. No adiestre al perro si está de mal humor, y recuerde mantener siempre un tono positivo.
- Antes de comenzar con las órdenes básicas, el cachorro debe reconocer su nombre y usted debe ser capaz de mantener su atención.
- «Tómalo» y «Déjalo» son órdenes importantes, así como la palabra de liberación o relajación para hacerle saber al cachorro que ya ha terminado el momento del ejercicio.
- Los ejercicios básicos incluyen el «sentado», el «tumbado», el «quieto», el «ven» y el «camina»0.
- Para que no se le olviden las órdenes aprendidas, el Schnauzer Miniatura tiene que continuar practicándolas durante toda la vida.

Alimentar a un perro es como echar combustible al coche. Si es de mala calidad no se pueden esperar resultados óptimos.

La mejor manera de tener un Schnauzer Miniatura sano es proporcionarle una buena comida canina. Los alimentos más baratos no son productos completamente digeribles ni contienen el equilibrio adecuado de vitaminas, minerales y ácidos grasos que necesita el perro para tener músculos, tejidos, piel y pelaje saludables. Los resultados de las investigaciones sobre nutrición canina han mostrado que se necesita mayor cantidad de alimento económico para mantener al perro en el peso apropiado.

Las empresas productoras de alimentos caninos de primera línea han desarrollado sus fórmulas a partir de estrictos controles de calidad y usando ingredientes de calidad provenientes de fuentes confiables. Si se leen las etiquetas de las bolsas de alimento, se pue-

El mejor alimento durante las primeras semanas de vida no proviene de una bolsa ni de una lata, sino de la madre.

den conocer sus ingredientes (carne de ternera, pollo, maíz, etcétera) que se enumeran, por lo general, en orden descendente, de acuerdo con el peso o la cantidad en que aparecen. No añada, por su propia cuenta, suplementos, «comida humana» o vitaminas. Ciertos alimentos, como el chocolate, las cebollas, las uvas, las pasas y las nueces, son tóxicos para los perros. Pero, más allá de eso, al añadir otros ingredientes se altera el equilibrio nutritivo del preparado alimenticio y eso puede afectar el patrón de crecimiento del cachorro de Schnauzer Miniatura o su mantenimiento, una vez adulto.

La oferta de buenas comidas caninas es tan variada que puede llegar a confundir hasta al cinólogo experimentado. En la actualidad, las principales empresas productoras de alimentos para perros ofrecen fórmulas alimentarias específicas para cada talla, edad y nivel de actividad. Los nuevos alimentos «para crecer» contienen los niveles de proteína y grasa adecuados para cada una de las diferentes razas caninas, de

Alimentar al cachorro puede convertirse en un asunto familiar. El perro debe aceptar siempre la comida de manera amistosa, sin arrebatar o mostrar cualquier clase de agresividad.

Cuando vaya de viaje no olvide llevar el agua y la comida del perro. Las jaulas suelen traer comederos que se ajustan en su interior para que los pasajeros caninos puedan comer y beber.

acuerdo con su tamaño. Por ejemplo, las grandes y de crecimiento rápido necesitan menos proteínas y grasas durante los primeros meses, lo que favorece un desarrollo saludable de sus articulaciones. Del mismo modo, las razas medianas y pequeñas (como el Schnauzer Miniatura) tienen sus propios requerimientos nutritivos en los doce primeros meses de crecimiento. Pregunte al criador y al veterinario qué alimento recomiendan para el Schnauzer Miniatura durante ese importantísimo primer año de vida.

No se deje intimidar por la cantidad abrumadora de bolsas de comida en los estantes de las tiendas. Lea las etiquetas (si no, ¿cómo va a saber lo que cada una contiene?) y llame por teléfono a los servicios de información cuyos números también aparecen en las bolsas. Conociendo bien lo que oferta el mercado, y escuchando los consejos del veterinario y del criador, estará capacitado para proporcionar a su perro la dieta óptima para que se conserve sano a largo plazo.

Al igual que los niños, los cachorros requieren una dieta distinta a la de los adultos. Si quiere cambiarle la comida a su perrito para darle una diferente de la que le daba el criador, pídale a este un poco de la suya para mezclarla en casa con la que usted le ha comprado; así ayudará al perro a acostumbrarse y adaptarse al cambio.

¿Cuándo y cuánta comida debe ingerir el cachorro? A las ocho semanas de edad lo mejor es que coma tres veces al día (estómagos pequeños, raciones pequeñas). Cuando crezca, se puede reducir a dos comidas diarias. La mayoría de los criadores, sin importar la raza, recomienda esto de las dos comidas diarias para el resto de la vida del perro, ya que es más saludable, desde el punto de vista digestivo, que darle una sola y abundante ración.

No se recomienda la dieta a libre demanda porque los perros desarrollan hábitos irregulares de alimentación y se vuelven «picadores»..., un gránulo ahora, otro después. También tienden a tornarse posesivos con sus platos, un problema de conducta que desencadena una actitud agresiva y posesiva con todo lo que es suyo. Las comidas programadas facilitan, de alguna manera, que el dueño esté recordando al perro que todas las cosas buenas de la vida provienen de él, su amo y, a la vez, líder de la manada.

Las comidas dentro de un horario nos permiten prever cuándo el animal va a hacer sus necesidades, lo que facilita la educación básica, además de saber cuánto y cuándo come, una información valiosa porque los cambios en el apetito pueden ser indicios de enfermedad.

Al igual que las personas, los cachorros y los perros adultos tienen apetitos diferentes; algunos comen hasta dejar relucientes sus platos y piden más, mientras que otros ingieren un poco y dejan parte de la comida. Es fácil sobrealimentar a un perro comilón. ¿Quién puede resistirse ante los ojos implorantes de un Schnauzer Miniatura? Manténgase firme y no se desvíe de su curso. Los cachorros regordetes podrán ser muy graciosos pero el peso extra recarga sus articulaciones en desarrollo, y se cree que este puede ser uno de los factores causantes de ciertos problemas esqueléticos que se presentan en caderas, codos y rótulas. Sobrealimentar a los cachorros también facilita que lleguen a ser adultos obesos, que se cansan con facilidad y son más proclives a padecer otros problemas de salud.

Recuerde siempre que delgadez es salud, y obesidad, no. La obesidad es una gran aniquiladora de perros. Así de simple: un perro delgado vive más que uno obeso. Eso sin contar la mejor calidad de vida de un perro esbelto, que puede correr, saltar y jugar sin cargar 3 o 5 kilos de más.

¿Qué es mejor, la comida enlatada o la comida seca? Y la comida seca, ¿se debe dar con

La hora de la cena es un buen momento para reforzar las órdenes y la buena conducta. Los perros deben siempre esperar la orden de sus dueños para empezar a comer, sin saltar ni tratar de apoderarse del plato.

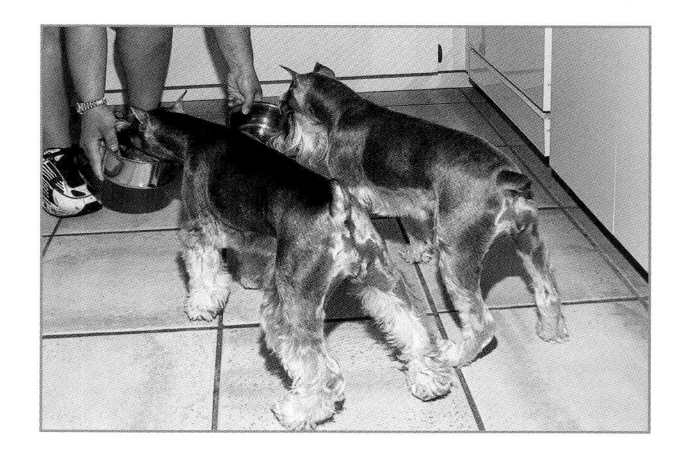

agua o sin ella? La mayoría de los veterinarios recomienda la comida seca porque los gránulos ayudan a limpiar los dientes de sarro o placa. Es optativo añadirle agua. Puede que al perro glotón, que casi inhala la comida, le venga mejor la comida con un poco de agua porque así comerá más despacio. También se cree que añadir agua al granulado inmediatamente antes de servirlo realza su sabor, sin eliminar sus beneficios dentales. Alimente a su perro con comida seca o no, es imprescindible que disponga siempre de agua.

Para complicar más el dilema de las comidas caninas, existen también dietas crudas para aquellos que prefieren alimentar íntegramente a sus perros con alimentos naturales, en lugar de apelar a las comidas de producción fabril. El debate entre las comidas crudas y/o del todo naturales y las elaboradas industrialmente es agudo. Los que abogan por las primeras afirman que, con ellas, sus perros se han curado de alergias y otros padecimientos crónicos. Si está interesado, existen varios libros sobre el tema escritos por expertos en nutrición. También puede preguntarles qué opinan al criador y al veterinario.

Si su perro está obeso (cuando se observa el animal desde arriba, debe notársele una especie de «cintura» y cuando se le observa de costado, debe vérsele el vientre recogido), puede cambiarle la comida por una más «ligera», con menos calorías y más fibra. Los alimentos destinados a los perros de mayor edad están formulados para satisfacer sus necesidades como animales menos activos. Las dietas «de rendimiento» contienen mayor cantidad de grasas y proteínas para suplir las necesidades de los perros de trabajo, de los que compiten en discipli-

Una buena dieta se hará evidente en la salud integral del perro, en su nivel de actividad y en el brillo especial del pelaje, como es el caso de este atractivo Miniatura negro y plata.

nas deportivas y de los que llevan vidas muy activas. Lo esencial es lo siguiente: la cantidad y la calidad del alimento que se proporciona al perro resultan factores decisivos para su salud integral y longevidad. Vale la pena invertir dinero y tiempo para ofrecerle la mejor dieta posible. Le recomendamos revisar la estantería dedicada a los alimentos caninos de la tienda para mascotas porque los supermercados no suelen tener las ofertas de las marcas de primera línea. Las tiendas para mascotas sólo venden los mejores alimentos caninos porque son los que recomiendan los mejores criadores y veterinarios.

CUIDADOS DOMÉSTICOS

Resumen

- La manera más fácil de proporcionar al Schnauzer Miniatura la nutrición requerida es alimentarlo con una comida completa y equilibrada para la etapa de vida que esté transitando.
- Darle suplementos nutritivos, comidas fuera de hora y alimentos para personas puede dañar la salud del perro y romper el equilibrio de su dieta.
- Las comidas para cachorros están formuladas en función de un crecimiento sano. Usted puede seguir dándole al suyo la misma dieta que le daba el criador.
- Se recomiendan las comidas programadas por muchas razones, entre ellas, porque facilitan la educación básica y porque uno sabe la cantidad de alimento que está ingiriendo el perro.
- La obesidad puede provocar enfermedades, problemas esqueléticos e incluso la muerte. La alimentación correcta es aquella que permite al perro mantener un peso saludable y una adecuada nutrición.
- El criador y el veterinario son fuentes confiables de asesoramiento para la alimentación del Schnauzer Miniatura.

SCHNAUZER MINIATURA

El contorno del Schnauzer Miniatura es inconfundible. Arreglado de manera óptima, este barbudo amigo se muestra con un perfil elegante, pelaje exterior áspero y patas como columnas, llenas de flecos.

Al igual que un Terrier, al Schnauzer Miniatura hay que depilarlo a mano para que su manto tenga la textura dura correcta. El pelado a mano consiste en tirar del pelo muerto para conservar el pelo áspero y de textura alambrada. Claro que los dueños de mascotas no necesitan preocuparse por aprender a depilar a sus Miniaturas, si bien es preciso recortarles el pelo para que muestren un contorno correcto.

Acicalar un Schnauzer Miniatura para exposición es un arte que requiere práctica. Su manto, como el de los Terriers, tiene que ser depilado a mano para que conserve una textura dura adecuada.

Acicalar al Schnauzer Miniatura impone al dueño un compromiso; aunque el pelaje no le aumenta tanto como al Caniche, por ejemplo, sí le crece continuamente y necesita una atención regular. Ha elegido esta raza porque le gustan sus rasgos físicos y temperamento, y una de sus marcas de fábrica es, de hecho, el característico pelaje. Sería una injusticia con el animal no acicalarlo como es debido porque es importante que su mascota parezca un Schnauzer Miniatura. Créame, un Miniatura desarreglado no luce nada especial y, sin embargo, ¡no he conocido ninguno que no lo sea!

Su compromiso con el acicalado incluye pasarle diariamente la rasqueta. No lo cepille demasiado fuerte ni llegue a la piel, porque se la irritaría. Una o dos veces a la semana debe pasarle el cepillo por los flecos de las patas y la cara para evitar que se enreden. Las orejas también necesitan un mínimo de atención semanal. Elimine los pelos que crecen dentro de las orejas porque si los mechones se dirigen hacia abajo, al canal auricular, pueden provocar problemas. Estos pelillos son más fáciles de agarrar si los espolvorea con talco para los oídos; muchos peluqueros usan un par de tenacillas o pinzas hemostáticas para tirar de ellos. Revise si hay acumulación de cerumen o cualquier suciedad en los oídos. Cualquier

El acicalado de exposición requiere habilidades y técnica especializadas. Si se propone competir con su perro, trate de que un presentador o peluquero experimentado le enseñen cómo hacerlo.

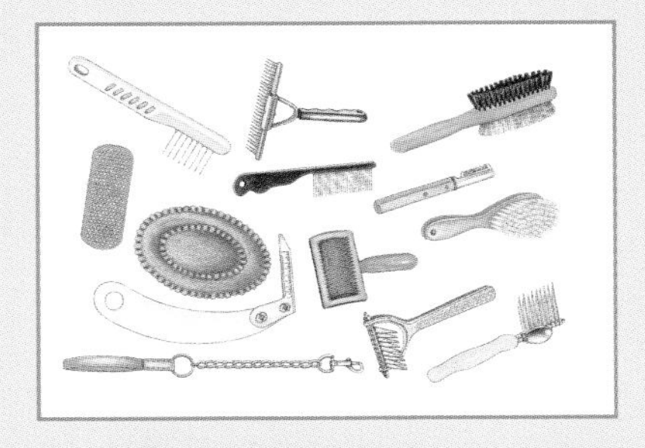

El equipo de acicalado y la complejidad del arreglo dependerán de su decisión de mantener al Schnauzer Miniatura con un corte de mascota o de exposición.

producto para la limpieza de las orejas le ayudará a conservárselas limpias y con un olor fresco.

El pelaje del Schnauzer Miniatura es doble, con una capa exterior dura y de textura alambrada, y una interior suave y densa. Claro que todos los perros mudan y aunque el Miniatura solo lo hace dos veces al año (quizá con más frecuencia las hembras en celo), todos los días caen sobre la alfombra pelillos negros. Como se trata de un perro pequeño, no cae demasiado, pero sí alguno. En la etapa de muda, el suave pelaje blanco es el que flota por doquier, en lugar del negro externo.

Solo los criadores experimentados y los peluqueros de exposiciones conocen realmente cómo se depila a mano un Schnauzer Miniatura. Se trata de un arte que requiere práctica, técnica y mucha paciencia. El perro de exposición ha de estar bien adiestrado y ser muy paciente para resistir el procedimiento. Cuando se realiza correctamente no es doloroso. Si de verdad le interesa aprender a depilar a su perro, debería asistir a una exposición canina y hablar con los presentadores. La mejor manera de aprender es que directamente un profesional le enseñe.

Aunque el manto del Schnauzer Miniatura mascota, que se recorta con una máquina de pelar, nunca tendrá la bella textura áspera del perro de exposición, sí obtiene, con el corte, la apariencia típica de la raza. Al pelarlo, la capa externa desaparece, pero como el perro está limpio y arreglado, su porte y presencia son bonitos.

La mayoría de los dueños de mascotas llevan a sus perros a pelar a salones de belleza caninos. Puede hacer coincidir, cada cinco o seis semanas, su propia visita a la peluquería con la cita del perro en el salón canino. Los peluqueros profesionales pueden resultar caros y por eso muchas personas optan por pelar a sus perros ellas mismas. Si le interesa aprender la técnica, tendremos que darle más detalles. El Club Estadounidense del Schnauzer Miniatura ofrece guías y diagramas excelentes que todos los interesados pueden consultar en la siguiente dirección electrónica: http://amsc.us.

Cepillos, peines y otros utensilios

Compre, en la tienda para mascotas o a través de un catálogo *online*, los mejores instrumentos de peluquería que encuentre: un cepillo de púas (o sea, con púas metálicas rectas insertadas en una base de goma), una rasqueta (tiene cortas púas metálicas de puntas curvadas), un peine de galgo (que combina dientes medianamente espaciados con dientes más juntos), un par de buenas tijeras (¡bien afiladas!), unas tijeras de entresacar (una hoja simple dotada de un número de dientes que va de 42 a 46), un cortaúñas o un limador. En relación con la máquina de pelar, adquiera una de marca con cuchillas desmontables. Si prescinde del estilista canino, ahorrará un dinero que podrá invertir en la máquina. Las cuchillas deben ser cinco y de los siguientes números: 10, 30, 40, 7F y 15. Mientras mayor sea el número, más pelo corta. No olvide comprar aceite para engrasar la máquina. Y ahora vamos a ocuparnos de la mesa de acicalado. Esta inversión le ahorrará gastos en la consulta quiropráctica porque le protegerá la columna vertebral de una tensión de horas. Puede comprar una sólida y fuerte, de brazo (o percha) y lazo corredizo, cuya superficie sea antideslizante (por lo general, una estera de goma). El perro se coloca sobre la mesa de acicalado y el lazo corredizo se le pasa por la cabeza. La altura de la mesa debe ser ajustable, no solo porque es más cómodo para usted sino también por el bien de su columna.

Procure que el corte de uñas sea lo más agradable posible. Aguante el perro con suavidad y, cuando utilice el cortaúñas, reconfórtelo y aliéntelo.

Pero, alto, antes de poner al Miniatura sobre la mesa y encender la máquina, tendrá que esperar un minuto (¡o una semana!). Primero, hay que adiestrar al perro para que se mantenga de pie sobre ella. Los Miniaturas no se quedan de manera natural, y tan tranquilos sobre una mesa y con un lazo al cuello. La orden del quieto o parado les reforzará la idea de que no deben moverse, saltar, sentarse o cualquier otra cosa. Aun cuando no vaya a ser usted quien lo acicale, tendrá que adiestrar a su perro para la postura del quieto o parado. El peluquero que afronte la tarea le agradecerá sus esfuerzos. Después de algunas lecciones su perro llegará a comprender que debe permanecer en la posición de quieto o parado, mientras se le acicala.

Primero hay que cepillarlo. Tome el cepillo de espigas y déle una pasada general, incluyendo los flecos de las patas, la barba y el faldón. Trate de desenredar con suavidad los nudos, sin tirar de la piel. Si llegan a mojarse, se hacen prácticamente imposibles de deshacer. El término que se usa para el cepillado hacia arriba (a contrapelo) es «cepillado en línea», y se comienza en la parte superior de la pata yendo hacia abajo. Después se han de cepillar a fondo todos los flecos, las axilas y los dedos; se toma el peine de galgo y se repasa despacio el pelaje para comprobar que no hayan quedado nudos o enredos. Si el perro tiene el manto completo y realmente denso, habrá que usar la rasqueta para el primer cepillado.

Hora del baño

Ahora el perro está listo para el baño, que no es precisamente su actividad favorita. Por eso resulta útil acostumbrarlo desde cachorro. Un Schnauzer terco batallando con el dueño en la bañera no es un espectáculo muy bonito que digamos. Como ya lo tenemos libre de nudos, podemos comenzar a bañarlo tanto en un lavabo como en un fregadero de proporciones grandes. No hay que usar productos de higiene para humanos. Hay muchos buenos champúes caninos y cualquiera puede servir. Le recomendamos que lo diluya antes de aplicarlo en el pelo. Use agua tibia, no caliente. Aplique el champú al manto pero no lo restriegue en la zona de los flecos porque se enredan.

Sería bueno insertar unas pelotitas de algodón en las orejas del perro para que el agua no le entre en el canal auricular, pero no debe olvidar retirarlas una vez que termine de bañarlo porque, de no hacerlo, le parecerá que el champú no sólo lo dejó libre de suciedad sino también de disciplina. En el proceso de aseo, déjese guiar por el sentido común: el agua no debe caerle en los ojos. Si hace las cosas de manera que el perro se sienta bien, él cooperará más. Si le dirige la ducha hacia la cara, lo quema con agua caliente o casi lo ahoga en el proceso de retirar el jabón, nadie podrá reprocharle que huya de usted la próxima vez que lo vea ¡sacando ese temible barreño! Ahora, en serio, cerciórese de que no queda ningún resto de jabón en el pelo porque puede provocar irritaciones, sequedad o caspa.

Secar al perro requiere, por supuesto, de un secador eléctrico y muchas toallas. Al sacarlo del lavabo o del barreño, envuélvalo en seguida en un paño de felpa suave porque, como es natural, el animal intentará sacudirse el agua y usted podría recibir su ducha diaria. Exprímale los flecos con la toalla y no lo frote, porque le enredaría el pelo. Vaya secándolo con el secador manual mientras lo peina con el cepillo de púas. Al llegar a las patas, cepille hacia arriba y oriente el aire de manera que le estire el pelo hasta que quede completamente seco. En cuanto a la barba y los flecos faciales, cepíllelos hacia abajo. No use la rasqueta hasta que el perro esté bien seco porque puede arrancarle pelos, en especial de las patas.

Como el Schnauzer Miniatura lleva tanto arreglo en el pelo las cosas le serán más fáciles si lo acostumbra desde pequeño a mantenerse de pie sobre la mesa de acicalado.

Llega el peluquero

Usted no es solo el compinche, el cuidador, el nutricionista y casi el dentista de su Schnauzer Miniatura, ¡sino también el peluquero! En estos momentos lo tiene de pie sobre la mesa de acicalado, con el pelo completamente limpio y desenredado en espera de su primer corte. Si le ha enseñado a que permanezca así disciplinadamente, no le vendrán recuerdos de sus propios hijos gritando en la primera visita al estilista.

Primero, vamos a escoger la cuchilla adecuada y montarla en la máquina. Probablemente, empezará con la número 10, que se adapta a la mayoría de los perros con un pelaje medianamente espeso. Si el suyo lo tiene más fino, entonces será mejor la 7F. Ha de sostener la máquina de manera que la cuchilla quede contra la piel; comience a pelar la parte posterior del cuello, desde la base del cráneo. Puede estirarle la piel mientras mueve con suavidad la máquina a favor del crecimiento del pelo. No se apure ni se impaciente porque podría quemar al animal y provocarle una irritación cutánea. Vaya bajando por el dorso y esquile los costados del cuerpo hacia donde desciende el pecho, unos 4 centímetros sobre el codo. Tenga cuidado de no llegar demasiado cerca del codo. Lo que se quiere es que el corte vaya sin escalones hacia el faldón. Fusionar así el pelo requiere práctica, pero no es difícil de hacer; algunos peluqueros usan tijeras de entresacar para mezclar el pelo de las áreas recortadas con máquina con las recortadas con tijeras. Use la máquina de pelar en dirección opuesta mientras baja por los costados de las patas traseras y sujeta los flecos con la otra mano. Tenga cuidado de no cortarlos. Esquile el frente del perro

Conseguir que un Schnauzer Miniatura tenga completa su capa para exposición lleva un poco de trabajo, pero el resultado vale la pena.

hacia abajo, hasta la parte superior de las patas delanteras, y pásele la máquina por las axilas.

Usando la máquina de atrás hacia delante (a contrapelo), obtendrá un corte más bajo. Así es como se pela la zona del cuello correspondiente a la garganta y también parte de la cabeza. Pele la parte superior de la misma (entre las orejas y los ojos, pero dejando las cejas) con ayuda de las cuchillas número 10 o 15, y a contrapelo. Ahora engrase la máquina y móntele la cuchilla número 30. Manténgala siempre bien engrasada para que no se caliente demasiado.

Con la cuchilla número 30 esquile la parte trasera del perro y la zona que está debajo de la cola, siempre a contrapelo. Ahora, para al abdomen, use la misma cuchilla (o la número 40), dejando alrededor de 4 centímetros de pelo al frente del perro y disminuyendo el largo hacia el ombligo. Esta área es delicada y se debe tener especial cuidado al llegar a los genitales. Acuérdese de dejar un pequeño fleco sobre los flancos.

Las orejas son un rasgo importante en esta raza; rebájeles el pelo usando la cuchilla número 40. En la parte externa, vaya a favor del pelo, y en la interna, contra él. También puede entresacar (con unas tenacillas) cualquier pelo que sobresalga del oído.

En medio del proceso de acicalado recuerde hablarle al perro para animarlo. Es necesario convencerlo de que se está portando bien y está quedando muy guapo. De vez en cuando ofrézcale una golosina como premio por su paciencia.

Puede utilizar también la cuchilla número 40 para cortar el pelo que crece entre las almohadillas plantares, aunque algunos peluqueros prefieren hacerlo con tijeras. Con el peine, empareje hacia abajo el pelo que crece alrededor de los pies y recórtelo en forma de círculo: se depila el pelo hacia arriba en un ángulo de 45 grados en relación con la almohadilla. Lo que se busca es el deseado efecto de columna en las patas, así que tome el peine y esponje el pelo de alrededor de las patas delanteras, para que se levante. Ahora, con mucho cuidado recórtelo con la tijera (apuntando hacia abajo) y péinelo redondo. Proceda de la misma manera con el pelo pectoral, esponjándolo y emparejándolo con la tijera hacia la zona donde el pecho desciende. Esquile el pelo de los pies traseros como hizo con los delanteros. Trabaje con cuidado en las patas de atrás para conseguir que el pelo de la babilla (rótula) se funda con el del corvejón, y así acentuar el contorno. Mezcle los flecos de la zona donde comienzan las patas traseras con la línea del vientre, extendiendo ésta hacia los flecos traseros, pero no demasiado hacia arriba en los lados. Peine el pelo que crece en la parte interior de las patas traseras y recórtelo hasta formar una «V» invertida, disminuyendo desde el interior del muslo hasta el pie. Con las tijeras recorte y empareje hasta obtener una línea recta.

El acicalado correcto refuerza la apariencia rectangular de la cabeza, cuya anchura decrece ligeramente del cráneo a la trufa. Con la ayuda de las tijeras puede dar forma a las cejas y modelar la barba solo lo necesario para completar el efecto rectangular. Antes de acicalar las cejas, mójelas con un poquito de agua o gel. Hay que recortar los bordes externos en línea con la parte más ancha del cráneo. Ahora coloque las tijeras detrás de la comisura del ojo, con las puntas hacia el centro de la trufa, y corte recto. Luego esquile una «V» sobre la trufa para crear, entre los ojos, la forma de un diamante. No recorte el pelo de debajo de los ojos porque le daría una expresión poco atractiva al perro. Rebaje un dedo de ancho en el revestimiento externo de cada ojo.

Prosiga ahora con la barba; péinela toda hacia delante, tome las tijeras y recorte una línea desde la zona más ancha de la cabeza. No corte mucho y evite rebajar la parte superior. En cuanto a los lados, corte paralelamente al cráneo, sosteniendo las tijeras de modo que no apunten hacia la barba. No use nunca la máquina en el puente de la trufa porque el perro adquiere una apariencia antiestética.

Arreglo de los pies

Las uñas del Schnauzer deben estar cortas y arregladas. Muchos peluqueros prefieren el cortaúñas tipo guillotina porque es fácil de utilizar: se da un corte rápido y se pasa a la uña siguiente. Es necesario acostumbrar al cachorro desde pequeño al arreglo de los pies. Si no lo pasea sobre pavimento duro, y le lima las uñas de manera natural, probablemente tendrá que cortárselas una vez al mes. Otra opción manual es una lima de batería con cabezal de papel de lija. Esta tiene la ventaja de no cortar nunca el vaso sanguíneo que corre por el centro de la uña (a veces llamado «línea de sangre»). Los dueños de un Miniatura deben ser conscientes de que, si no tienen sumo cuidado, el pelo que crece alrededor de los pies puede engancharse en la lima. Cuando utilice el cortaúñas, debe tener a mano un lápiz o polvo estíptico por si se corta, sin querer, el vaso sanguíneo.

ACICALADO DEL SCHNAUZER MINIATURA

Resumen

- Para mantener en buenas condiciones el pelo áspero del Schnauzer Miniatura hay que proporcionarle una atención especial.
- Acicalar una mascota es más fácil que un perro de exposición, pero en ambos casos se requiere no solo práctica, sino también saber hacerlo correctamente.
- El sitio web del Club Estadounidense de Schnauzer Miniatura brinda a los dueños muy buenas instrucciones para el acicalado. También puede solicitar asesoría del criador o de un peluquero profesional con experiencia en la raza.
- Para arreglar al perro necesitará hacerse con un equipo que incluye: mesa de acicalado, cepillos, peines, máquina de pelar, tijeras y cortaúñas.
- Bañe al Schnauzer Miniatura cuando sea necesario y córtele las uñas cada mes.

En todo hogar donde haya una mascota, debe haber un botiquín de primeros auxilios. Puede adquirir todos los artículos de una vez y guardarlos en una caja junto con los teléfonos del servicio de emergencia y del veterinario.

Estos son algunos de los artículos que necesita:

- Alcohol para limpiar heridas.
- Ungüentos antibióticos para las laceraciones.
- Loción para lavar los ojos (de venta no restringida) en caso de que al perro le caiga algo dentro y necesite un enjuague, o simplemente para eliminar el enrojecimiento.
- Pinzas para extraer garrapatas, espinas y astillas.
- Talco estíptico para detener la sangre cuando se exceda cortando una uña.
- Termómetro rectal.
- Calceta de nailon para usarla como bozal en caso de que su mascota resulte mal herida.

Muchos de estos artículos se pueden comprar por un precio

El cuidado de los dientes es un aspecto esencial de la atención sistemática que brindamos al perro en casa. La insalubridad dental puede desencadenar enfermedades mucho más serias, de ahí la importancia de practicar con nuestro Schnauzer Miniatura la medicina preventiva.

muy razonable en la farmacia local. Cuando el perro haya crecido, si todo marcha bien, solo tendrá que llevarlo a la consulta veterinaria una vez al año para un reconocimiento general y la reactivación de las vacunas. También le harán un examen dental completo y puede que hasta le expriman las glándulas anales, si usted se lo solicita al médico y él lo considera necesario.

Debería comprar sus propios instrumentos de cuidado dental, para poder limpiarle los dientes al perro en el período que media entre una visita y otra al veterinario. Colóquelo sobre la mesa de acicalado, con la cabeza bien inmovilizada con la correa y raspe con suavidad el sarro. Algunos perros se lo dejan hacer y otros no. También puede limpiarle los dientes cada día o, al menos, cada semana, con un cepillito y pasta dental caninos. Un bizcocho duro todas las noches, a la hora de dormir, ayudará, de igual modo, a mantener los dientes libres de sarro.

En cuanto a las glándulas anales, exprimirlas no es precisamente la más grata de las ta-

Aprenda las técnicas elementales de primeros auxilios para afrontar situaciones leves de emergencia, como picaduras de abejas y otros insectos, y cualquier otra eventualidad que se pueda presentar.

Los juguetes para morder mantienen felizmente ocupada la boca del Schnauzer Miniatura a la vez que le benefician la dentadura porque, al roerlos, le eliminan el sarro.

reas, además del mal olor que desprenden. Tal vez lo más fácil sea que lo haga el veterinario durante la revisión anual. A veces pueden congestionarse y necesitar atención médica.

A estas alturas ya conoce bien a su perro: sabe cuánto come, cuánto duerme y cuán rudo es al jugar. Como también nos pasa a nosotros, puede que alguna vez rechace la comida o parezca estar enfermo. Si ha tenido náuseas y/o diarreas durante veinticuatro o treinta y seis horas o si ha estado bebiendo demasiada agua durante los últimos cinco o seis días, es necesario llevarlo al veterinario. Pida una cita y explique a la recepcionista el motivo de la consulta.

El veterinario le hará las siguientes preguntas:

- ¿Cuándo hizo su última comida normal?
- ¿Durante cuánto tiempo ha tenido diarrea o vómitos?
- ¿Ha comido algo en las últimas veinticuatro horas?
- ¿Pudo haberse comido un juguete, un trozo de tela o cualquier otra cosa poco usual?
- ¿Está bebiendo más agua que nunca?

A continuación, lo examinará, le tomará la temperatura y el pulso, escuchará los latidos de su corazón, le explorará el estómago –por si hay algún bulto–, le revisará el color de los dientes y las encías, y le reconocerá los ojos y las orejas. Es probable que le solicite también un análisis de sangre para hacer algunas comprobaciones.

Cuando termine el reconocimiento, emitirá su diagnóstico y sugerirá un tratamiento. Puede que le recete antibióticos y le permita llevarse el enfermo a casa, que le tome algunas radiografías o que decida mantenerlo bajo observación por una noche. Siga las indicaciones del veterinario y tenga casi por seguro que su perro volverá a la normalidad en uno o dos días. Mientras tanto, aliméntelo con comidas ligeras y manténgalo tranquilo, quizá confinado en su jaula.

Los parásitos son un problema potencial y por eso hay que estar alerta ante algunos de ellos. Las filarias, por ejemplo, pueden llegar a ser mortales, y debe saber que hay regiones donde se las encuentra con ma-

Cuando viaje, brinde protección a su Schnauzer Miniatura. Los perros no deben andar sueltos dentro de un vehículo en movimiento, así que manténgalo en la jaula.

yor facilidad que en otras. Estos gusanos del corazón se multiplican tanto que consiguen envolver el corazón del perro. Sin tratamiento, el animal eventualmente morirá. Cuando llegue la primavera, llame al veterinario y pregúntele si es conveniente que su perro sea sometido a un análisis para comprobar la presencia de filarias. Si le dice que sí, llévelo a la clínica para saber si está o no libre de este parásito. Luego, si el veterinario lo considera procedente, le administrarán un medicamento preventivo. Esto es importante, sobre todo si su vivienda se encuentra en una zona donde proliferan los mosquitos.

Las pulgas son otro problema, en especial en las regiones más cálidas del país. Usted puede comprar un talco o collar antipulgas en la tienda para mascotas o preguntar al veterinario qué sistema le sugiere. Hay varios tratamientos tópicos efectivos que se aplican cada mes para controlar las pulgas, las garrapatas y otras plagas. Si sospecha que su perro tiene pulgas, acuéstelo de lado, separe el pelo para verle la piel y fíjese en si hay bichitos saltando o deslizándose por todas partes.

Las garrapatas son más frecuentes en las áreas donde hay muchos árboles. Son pequeñas (al principio), oscuras, y les gusta aferrarse a las partes cálidas de las orejas, las axilas, los pliegues de la cara, etcétera. Mientras más tiempo permanecen en el perro más grandes se ponen, porque se alimentan de su sangre y llegan a alcanzar el tamaño de una moneda de céntimo. Tome las pinzas y, con cuidado, extraiga una por una cada garrapata, evitando que el parásito quede aferrado a la piel con sus tenacillas. Arrójelo de inmediato por el retrete y tire de la cadena, o quémelo con un fósforo. Aplique alcohol y al-

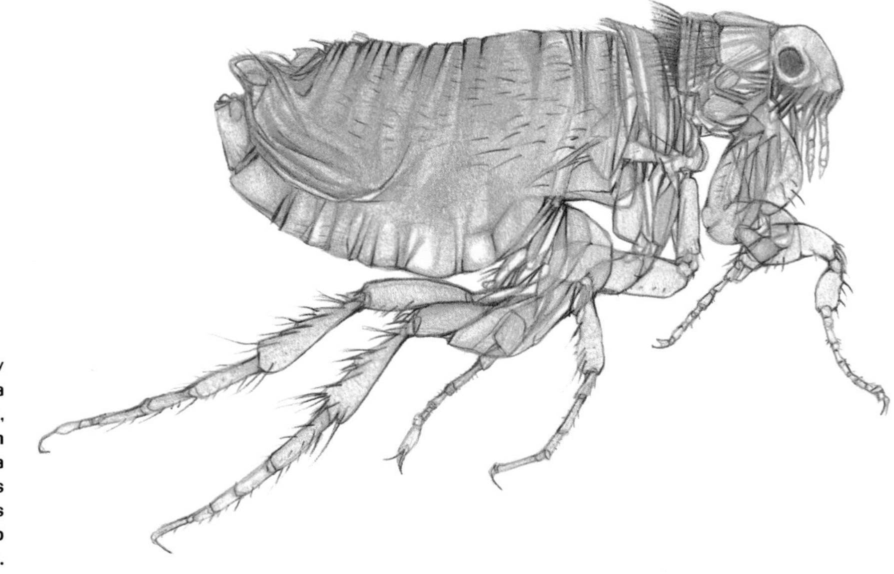

Imagen muy ampliada de una pulga canina, plaga que tienen que afrontar la mayoría de los dueños de perros en algún momento de su vida.

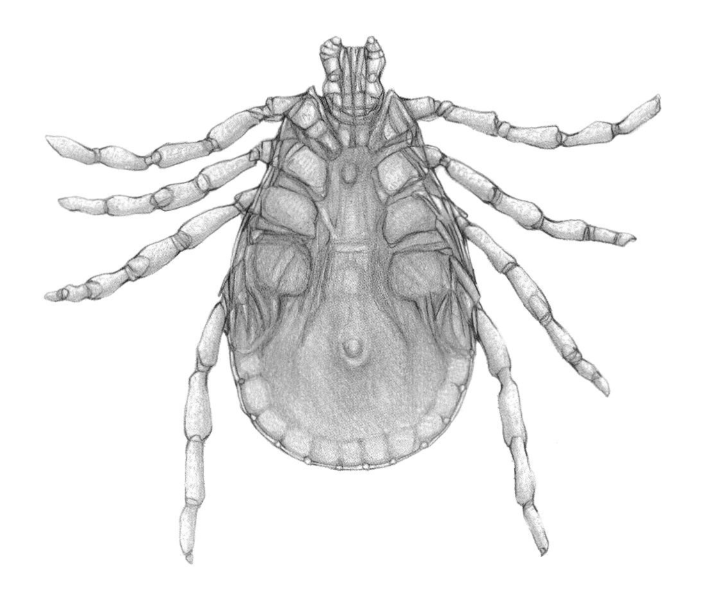

Las ocho patas de la garrapata le proporcionan la fuerza necesaria para excavar y agarrarse, por eso es tan difícil de desprender

gún ungüento antibiótico sobre la lesión.

Para hacer frente a los problemas mencionados y a cualquier otro relacionado con la salud de su perro, déjese guiar por el sentido común y por un buen veterinario.

CUIDADOS DEL SCHNAUZER MINIATURA

Resumen

- Tenga a mano un buen botiquín de primeros auxilios caninos y estará preparado para cualquier emergencia.
- Cuidar bien del perro incluye atenderle los dientes, revisarle las glándulas anales y controlarle los parásitos.
- Conózcalo bien para que pueda reconocer los signos de enfermedad y llevarlo al veterinario de inmediato.
- Protéjalo contra parásitos internos y externos que puedan poner en riesgo su salud.

CAPÍTULO 13

Cómo mantener activo al Schnauzer Miniatura

Muchos dueños desean compartir con sus perros actividades estimulantes. Y son muchas las que podrían mantenerlos, todo el tiempo, ocupados, activos e interesados.

Por su inteligencia y ánimo de complacer, los Schnauzers Miniatura destacan en muchos terrenos. Después de pasar la primera escuela, o sea, la guardería para cachorros, puede que le interese trabajar con su pupilo en pro del premio al Buen Ciudadano Canino, que existe en algunos países, además de Estados Unidos. Este programa, exitosamente concluido, da como resultado un perro que sabe comportarse en casa, en lugares públicos y en compañía de sus congéneres. Las clases son accesibles para todos (puros o mestizos) y no solo resultan divertidas sino de utilidad para la vida cotidiana.

El adiestramiento en Obediencia básica es básico para tener éxito en cualquier deporte competitivo.

Hay diez pasos a enseñar al perro, entre los que se encuentran: aceptar a un desconocido amistoso, sentarse educadamente para recibir una caricia, admitir el examen y acicalado ligero de un extraño, caminar con la correa floja, acudir cuando se lo llama, mantenerse en calma ante la presencia de otro perro, responder ante distracciones, tumbarse a la orden y permanecer tranquilo durante tres minutos mientras el dueño está fuera de la vista. Cuando consiga hacer todo esto de manera exitosa, a su perro se le otorgará el certificado de Buen Ciudadano Canino.

La Obediencia es un deporte de larga data donde los Schnauzers Miniatura pueden triunfar. Las competiciones se organizan de manera independiente o bien dentro del marco de exposiciones caninas de belleza. Hay muchos niveles, empezando por el de Novicio *(Novice)*, donde después de completar los tres pasos preliminares, el animal gana el título de Perro Compañero *(Companion Dog, CD)*. El grado de dificultad se va incrementando paulatinamente y así se llega el segundo nivel, el Abierto *(Open)*, donde, una vez vencidos los tres pasos correspondientes, se obtiene el título

En los ejercicios avanzados de Obediencia, el perro debe practicar la discriminación olfativa para elegir la mancuerna correcta dentro de un grupo de ellas y devolvérsela a su presentador.

La natación es un maravilloso ejercicio de baja tensión para los perros de cualquier clase. Este Schnauzer Miniatura disfruta de un chapuzón en la piscina familiar.

de Perro Compañero Excelente *(Companion Dog Excelent, CDX)*. El siguiente nivel es el de Utilidad *(Utility)*, que incluye trabajo sin correa, señales manuales silentes y seleccionar la mancuerna correcta dentro de un grupo de ellas. No son muchos los perros que alcanzan este nivel. Conseguir el título de Perro de Utilidad *(Utility Dog, UD)* es un logro importante tanto para el animal como para su dueño. El primer Schnauzer Miniatura que conquistó un UD fue *Ch. Mein Herr Schnapps UD*, cuyo amo escribió: «¡El perro adiestrado es una fuente de placer!». Desde la década de 1950, más de 125 Miniaturas han ganado títulos en ambas competiciones, de conformación y de Obediencia, y quince han conquistado campeonatos de conformación y niveles de Perro de Utilidad.

Las pruebas de Agilidad *(Agility)*, han alcanzado gran popularidad, y se realizan con frecuencia en las exposiciones caninas. Localice la mayor y más bulliciosa de las pistas, donde perros y competidores corren a través de un circuito de obstáculos mientras los emocionados espectadores los aclaman con entusiasmo.

Los perros aprenden a transitar por un circuito que incluye obstáculos, escaleras, saltos y otros desafíos. En el *Agility* hay una serie de niveles, en función de los obstáculos que el perro pueda conquistar. El AKC define este deporte como: «El placer de combinar en un solo juego, hecho para usted y su perro, precisión, adiestramiento, sincronía, comunicación, y diversión pura y llana». El *Agility* conlleva mucho disfrute y ejercicio, lo mismo si se hace de manera recreativa como si se hace con fines competitivos.

Los Schnauzers Miniatura pueden optar también por las pruebas de perros de madriguera, concebidas para los Terriers. Hay cuatro niveles: Presentación de la presa *(Introduction to Quarry)*; Madriguero joven *(Junior Earthdog)*, Madriguero adulto *(Senior Earthdog)* y Madriguero experto *(Master Earthdog)*. Este deporte entraña un desafío para perros y dueños porque mide las habilidades y funciones para las cuales fue desarrollado el Schnauzer Miniatura.

El nivel máximo es el de Perro Compañero Versátil (*Versátil Companion Dog*), que se otorga en reconocimiento a aquellos perros y presentadores que han tenido éxito en múltiples deportes caninos. Para destacarse en cualquiera de las actividades antes mencionadas, es esencial pertenecer a un club que cuente con el equipamiento y las instalaciones adecuadas, donde uno pueda practicar. Estos deportes han devenido tan populares que no debe ser difícil localizar un local de adiestramiento. Vivirá una gran experiencia al trabajar con su perro y conocer personas que comparten sus intereses. Claro que todo esto lleva tiempo y dedicación, aparte de un perro dispuesto a trabajar del otro lado de la correa.

A los Schnauzers Miniatura les va bien en deportes competitivos como el *Agility* y la Obediencia. Su inteligencia, adiestrabilidad y agilidad son claves para el triunfo.

CÓMO MANTENER ACTIVO AL SCHNAUZER MINIATURA

Resumen

- El Schnauzer Miniatura es una raza activa e inteligente que necesita actividades desafiantes, y tener en qué ocupar su mente y su cuerpo.
- Los premios del programa Buen Ciudadano Canino se otorgan a los perros que aprueban una serie de ejercicios donde se evalúa su conducta general.
- Los Schnauzers Miniatura han alcanzado grandes éxitos en las competiciones de Obediencia y *Agility*.
- En los países donde se lo clasifica dentro del Grupo Terrier (como Estados Unidos), el Schnauzer Miniatura puede participar en las competiciones para perros de madriguera.
- Un club especializado o uno de adiestramiento le ayudarán a debutar en cualquier actividad que decida emprender con su Schnauzer Miniatura.

Antes de ir a buscar a su cachorro, seguramente el criador lo habrá sometido a algunos procedimientos de orden cosmético.

Por ejemplo, le habrá eliminado los espolones (o sea, el quinto dedo, que sobresale en la parte posterior de cada pata, por encima del pie) y le habrá cortado la cola. Ambos procedimientos se efectúan al mismo tiempo, al tercer o cuarto día del nacimiento. Cuando se decide cortar las orejas, se hace alrededor de las nueve u once semanas, pero esa operación debe llevarla a cabo un veterinario familiarizado con el tipo de corte del Schnauzer Miniatura. Las orejas se mantienen tapadas mientras sanan; el veterinario y el criador le asesorarán sobre los cuidados postoperatorios para que todo salga bien.

El Schnauzer Miniatura adulto necesita ir al veterinario una vez al año para que le reactiven las vacunas y lo examinen.

El corte de orejas consiste en recortar quirúrgicamente un segmento del pabellón y someter a tratamiento la parte que queda para mantenerla erecta. Originalmente, a los perros se les recortaban las orejas con el fin de evitar que sus adversarios se las mordieran. En el caso de los perros de pelea y los exterminadores de plagas, como los Terriers, las orejas eran un punto de agarre a favor de sus oponentes, de manera que se les cortaban para evitarles esa desventaja. Además de eso, hay muchos que consideran estéticamente atractivas las orejas cortadas porque da a los perros una expresión inteligente. Aun así, como ya no es necesario hacerlo, en muchos países está prohibido. Aunque en Estados Unidos la mayoría de los Schnauzers Miniatura llevan las orejas recortadas, no es un requisito.

Antes de llevar el cachorro a casa debería encontrar un buen veterinario. Si el criador vive en su misma zona podría recomendarle alguno; de lo contrario, tendrá que encontrar usted mismo una clínica veterinaria de su agrado donde solicitar una consulta, a fin de que reconozcan al perrito

Los cachorros sanos son el resultado de progenitores sanos; por eso los buenos criadores se esfuerzan para que sus pies de cría estén en óptimas condiciones y sean genéticamente impecables.

El criador es quien primero desparasita a los cachorros y les administra las primeras vacunas. Una vez en manos de sus nuevos dueños, el veterinario continuará el proceso.

en los primeros días de su estancia en casa.

Algo importante a la hora de buscar veterinario es que no viva a más de 20 quilómetros de su hogar. Elija uno que le guste y le resulte convincente; cerciórese de que sabe lo que está haciendo cuando se trata de Schnauzers Miniatura. Observe si el consultorio está limpio y huele bien. Tiene derecho comprobar las tarifas antes de pedir una cita, requisito casi siempre indispensable. Si la consulta le ha causado buena impresión, llévese la tarjeta con el teléfono de la clínica y el nombre del veterinario que le atendió. Trate de ver siempre al mismo, no solo porque ya conoce la historia clínica de su perro sino porque a este le resultará familiar.

Averigüe si la clínica atiende casos de urgencia, y si no es así, como ocurre ahora con la mayoría de ellas, obtenga el nombre, la dirección y el número telefónico del servicio veterinario local de emergencia y conserve esa información junto con el teléfono del doctor habitual.

Lleve a la primera consulta los documentos que le dio el criador con las vacunas que se le han puesto al cachorro, para que el veterinario sepa cuáles son las que faltan. También debe llevar una muestra de materia fecal para analizar y descartar la presencia de parásitos.

Las vacunas que se recomiendan son las que inmunizan contra el moquillo, la hepatitis infecciosa canina, la parvovirosis y la parainfluenza. Parecen muchas, pero hay una que las contiene todas..., la DHLPP. El ciclo de vacunaciones comienza entre las seis y las diez semanas, lo que significa que el criador le habrá puesto las primeras dosis a la camada y que será su veterinario quien finalizará el proceso poniéndole tres vacunas más, con intervalos de cuatro semanas.

Hubo una época en que el moquillo era el azote de la crianza de perros, pero gracias a la inmunización adecuada y a la higiene del cubil donde se crían los cachorros, ya no es un problema para los criadores responsables y serios. La hepatitis canina, muy rara en Estados Unidos, es una infección hepática severa causada por un virus. La leptospirosis, enfermedad poco común que afecta los riñones y es rara en cachorros, se presenta más bien en perros adultos. Uno puede reconocer la parvovirosis por la presencia de fiebre, diarrea y vómitos. Es una enfermedad mortal en los perros jóvenes y puede diseminarse con mucha facilidad a través de las heces. La vacuna es altamente efectiva como medio de prevención.

Para que su Schnauzer Miniatura disfrute plenamente el tiempo que pasa al aire libre, deberá protegerlo de ciertos peligros potenciales como los insectos, el calor, los fertilizantes, etcétera.

El Schnauzer Miniatura se enfrenta a ciertos problemas genéticos que los criadores reputados y los clubes especializados se esfuerzan por eliminar.

Esta raza es propensa a padecer problemas oculares: cataratas congénitas de aparición tardía, atrofia progresiva de la retina *(progressive retinal atrophy, PRA)* y degeneración retiniana de adquisición súbita *(Sudden acquired retinal degeneration, SARD)*.

Las cataratas son una opacidad, por lo general blanca, que cubre el cristalino; pueden ser simples o múltiples y tener cualquier forma o tamaño. Como ocurre con las personas, el grado de deterioro de la visión depende de su magnitud y ubicación. Las cataratas de aparición tardía aparecen en perros adultos entre los dieciocho meses y los dos años de edad. También existen las congénitas, que antes se llamaban cataratas juveniles congénitas porque ya estaban presentes en fetos y podían verse con una lámpara especial en los cachorros muy pequeños. El Club Estadounidense del Schnauzer Miniatura ha estado trabajando, desde la década de 1960, para eliminar de la raza este problema genético.

La atrofia progresiva de la retina (PRA) consiste en la disminución paulatina del órgano fotosensible de la retina, lo que eventualmente conduce a la ceguera total. Es una enfermedad seria y complicada. Los criadores de Schnauzer Miniatura han estado esforzándose para eliminar el PRA de la raza. El SARD, o sea la degeneración retiniana de adquisición súbita, provoca ceguera por atrofia de la retina. No se ha investigado aún lo suficiente, pero difiere del PRA en que la ceguera se produce a las pocas semanas de aparición de la enfermedad. En el caso del PRA, la progresión hacia la ceguera total se desarrolla a lo largo de un año.

En 1973, el Club Estadounidense del Schnauzer Miniatura elaboró un Juramento del Ojo, donde los criadores signatarios se comprometen a someter a todos sus cachorros a exámenes con lámpara *slit* y retirar de la crianza aquel perro o perra que haya producido un descendiente con cataratas congénitas o con PRA, así como a enviar a la Junta Directiva del club el examen ocular y el pedigrí de cada Schnauzer Miniatura afectado de la vista. Para obtener mayor preguntas a la comisión correspondiente. No olvide preguntar al criador si ha examinado a los perros de su criadero para detectar problemas oculares.

Un perro en su peso con el pelaje en buenas condiciones refleja salud y cuidados.

y más actualizada información sobre los problemas oculares en la raza, debe contactar al Club Estadounidense del Schnauzer Miniatura, que hará llegar sus

Otro desorden que puede presentarse en el Schnauzer Miniatura es el Legge-Calve-Perthes (también llamado Perthes). Se trata de una enfermedad relacionada con los huesos y no de un problema hereditario. Se cree que está causada por una lesión o posiblemente por un problema nutricional. La enfermedad aparece entre los cuatro y los diez meses y es muy dolorosa. El perro cojea de una o ambas patas, cuyos músculos eventualmente se desgastan. Existen algunos tratamientos para el Perthes, que debería tratar con su veterinario.

La estenosis pulmonar es un defecto congénito del corazón que consiste en un estrechamiento de la conexión entre el ventrículo derecho y la arteria pulmonar. Muchos perros viven con este problema sin mostrar jamás señal de padecimiento cardíaco. Si el defecto es grave, el veterinario puede hacer una valvuloplastia globular, que resulta exitosa en alrededor del 70 % de los casos.

El eccema y la dermatitis son problemas dérmicos que se presentan en muchas razas caninas. A menudo son difíciles de resolver. Los baños frecuentes eliminan los aceites naturales de la piel y empeoran la situación. Las alergias a ciertos alimentos o a cualquier otro elemento ambiental también pueden provocar esta clase de trastornos. Considere preguntar a su veterinario sobre medicamentos homeopáticos, además de usar los tratamientos convencionales.

Aunque la lista de los problemas de salud pueda resultar desalentadora, el Schnauzer Miniatura está considerado como una raza, en general, saludable. Los problemas mencionados existen y por eso los compradores de un Schnauzer deben estar al tanto de ellos, aunque algunos son raros y la mayoría aparece con muy poca frecuencia.

Las garantías de salud son importantes, por lo que todo criador responsable entrega a los nuevos dueños un contrato garantizándoles que su cachorro está libre de ciertos defectos congénitos. Esta garantía expira a los seis meses o al año. Si se presentara algún problema, es probable que él les cambie el cachorro por otro o les ofrezca algún reembolso.

Dorothy Williams, del criadero Dorem, escribió alguna vez que los Schnauzer Miniatura poseen gran vigor y que, de hecho, no muestran signos de enfermedad hasta que están muy aquejados; también aseguró que son luchadores y no se dan por vencidos. Las hembras tienen buenos partos y resultan madres dedicadas. La capacidad de respuesta y la inteligencia de los Schnauzers Miniatura, sumadas a la voluntad de complacer a sus dueños, hacen ideales a estos perros para el trabajo de Obediencia. Somos afortunados los que tenemos ejemplares de esta raza porque a menudo se mantienen completamente sanos hasta los doce o catorce años. Y no es poco frecuente que vivan hasta los dieciséis, si se les cuida bien.

Si adquiere su perro, hembra o macho, en calidad de mascota, y no se propone llevarlo a exposiciones, debería considerar la posibilidad de esterilizarlo. Incluso puede que el criador se lo exija. Los machos esterilizados son menos agresivos, menos propensos a levantar la pata dentro de casa y a montar a otros perros (o cualquier pierna de humano). Las hembras esterilizadas no caen en celo cada seis meses –ciclo con el que no es fácil lidiar dentro de la casa– ni atraen a los perros del vecindario. La esterilización ofrece otros muchos beneficios de salud al eliminar o reducir los riesgos de padecer varios tipos de cáncer y otros trastornos serios.

A medida que su perro comience a envejecer, comenzará a volverse lento. No jugará tan fuerte ni durante tanto tiempo como acostumbraba, y dormirá más. Buscará ese rayito de sol matutino para tomar una larga siesta. Para entonces, es probable que lo esté alimentando con algún alimento formulado para perros de edad avanzada. Siga atento a su peso corporal: ahora es más importante que nunca impedir que se ponga obeso. Notará que el hocico se le torna gris y puede que le aparezcan opacidades en los ojos, señal de cataratas. A medida que envejece, puede empezar a padecer de artritis.

Su perro anciano requiere que le dedique mayor atención, en cuanto a salud y comodidades, y necesita visitas más frecuentes al veterinario. En retribución por toda la felicidad que su Schnauzer Miniatura le ha brindado, ¿no merece la pena esforzarse un poquito por este viejo amigo?

EL SCHNAUZER MINIATURA Y EL VETERINARIO

Resumen

- Debe localizar un buen veterinario y tener concertada una cita con él, anticipadamente, para poder llevar a su Miniatura recién adquirido, en los primeros días de llegada a casa.
- A los cachorros de Schnauzer Miniatura generalmente se les cortan la cola y los espolones cuando aún son muy pequeños; en cambio, las orejas, cuando se les cortan, es a los dos o tres meses de edad.
- El veterinario le hará un reconocimiento general al cachorro y dará continuidad a su programa de vacunaciones.
- Analice con el criador los problemas hereditarios de la raza y esté al tanto de los documentos que certifican cualquier prueba relevante hecha a los cachorros y sus padres.
- En el caso de los perros mascotas, se recomienda practicar la esterilización, tanto si son hembras como machos, debido a los numerosos beneficios sanitarios.
- Los perros de mayor edad requieren más cuidados y hay que llevarlos con mayor frecuencia al veterinario.